COMO TRATAR CON
GENTE DIFICIL

Para los consejeros de por [illegible] la vida. Que felicidad siempre [illegible] con todos [illegible] con amigo [illegible]

DRES. ART Y SILVANA ROHANA

COMO TRATAR CON
GENTE DIFICIL

Titulo original en ingles *How to deal with difficult people* ©

Traductora: Ana Alicia Salazar
Correctora y Asesora editorial: Patricia Laborde

Como tratar con gente difícil
Registro 19457
ISBN 978-968-7553-061

Quinta edición

Ilustraciones: J. M. Rodríguez "Trappo"

Parte de los ingresos obtenidos de la venta de este libro serán destinados a la protección de la niñez.

D.R. © Dres. Art y Silvana Rohana

A+S ROHANA INTERNATIONAL RESEARCH

Impreso en México
Printed en México

Contenido

Para las personas difíciles
de aquí, de allá, de todas partes.

Para que sus días se vuelvan ligeros
y agradables, y sus relaciones,
duraderas y enriquecedoras.

AGRADECIMIENTOS

Deseamos expresar nuestro agradecimiento a las siguientes personas que entraron a nuestras vidas por muy distintas circunstancias, algunas nos brindaron su apoyo emocional y otras material. Sin ellas el libro no hubiese cristalizado.

Le debemos un especial agradecimiento al Ing. Gustavo Moriel por su amistad y estímulo incondicional de siempre. A los Sres. Manuel Sotelo y Rosendo Alarcón por su amistad y atinada colaboración. A Jesús y Dinorah Castillo quienes participaron con su creatividad y amistad sincera. Al Dr. Edmundo Mendoza por compartir su amistad y conocimientos. A Ricardo y Paty Azcárraga por su acertada asesoría y calidad afectiva. A Maritrini Rodriguez por sus reiteradas demostraciones de afecto e ideas creativas. Al Arq. Roberto Niño De Rivera y a la Prfra. Eva Castillo por su profundo cariño y aliento constantes. A Charly Gómez por su cálido afecto y soporte contínuo. A Silvia Fernández L. por su afecto fraternal inagotable y calidez humana. A Saul Muñiz por su amistad y afecto. A Josefa Peregrina por su sincero apoyo. A Rafael y Beatriz Arzaga por su apoyo y amistad. Al Ing. Lorenzo Ruíz por su calidez humana y afectividad. Al Ing. Alejandro Hernández por su asesoría y amistad. A Lupita Davila y Lupita Palma por sus muestras de afecto contínuas. A Dora Ortiz, Laura Alcalde y Mariana Loría por su amistad y calidad afectiva.

Ana Luisa Salazar por su calidad humana quien, conjuntamente con María Esther Barreiro, aportaron un excelente trabajo en traducción y asesoría. A Jorge Ahumada y Jose Navarro por su esmerada colaboración. A las Harvardianas Pam Summa y Helen Snively cuya acertada participación dio brillo a la edición y corrección en el idioma inglés. A Patricia Laborde cuya entrega y excepcional trabajo en la corrección, redacción y asesoría la acercan a nuestras vidas como una muy querida amiga.

Finalmente agradecemos con amor a todos los pacientes que tuvieron el coraje de contarnos sus historias.

En el primer capítulo, hablamos acerca de las personas difíciles y cómo llegaron a ser así. En los siguientes cinco capítulos, le mostramos cómo identificarlas y le proporcionamos algunas estrategias para lidiar con ellas, ya sea que usted las conozca en el supermercado, en su trabajo o en casa. En el Capítulo 7 describimos a la gente difícil más detalladamente, explicando cómo opera y por qué actúa de tal forma. Terminamos el libro con una serie de técnicas para comunicarse con ella; técnicas que hemos descubierto y probado son de enorme ayuda para miles de personas.

Mientras va leyendo este libro, queremos que Usted sienta que somos sus aliados, su "coach", como lo hemos sido para otros a quienes hemos conocido en nuestros consultorios y durante nuestros seminarios y giras de conferencias. Estaremos "echándole porras" en tanto Usted va entendiendo a la gente difícil que conoce y que está cerca, y encuentra maneras de tratar con ella.

Además, creemos firmemente que nadie puede hacer algo que no sabe cómo hacerlo. Esto es, si Usted no entiende a las personas difíciles, por supuesto que entonces no sabrá cómo lidiar con ellas. Pero ahora, **en este libro,** Usted tiene las soluciones. Puede aprender, como lo hemos hecho nosotros y muchos otros más, a ayudar a las personas difíciles que están a su alrededor, para que se sientan amadas y apreciadas, y para que el hecho de tenerlas cerca sea más divertido y recompensante.

Art y Silvana Rohana

CAPITULO 1

Personas difíciles: como llegaron a ser así

Juan Ramón estaba sentado, con su característico aire de prepotencia, en el más lujoso restaurante de la ciudad. Su indumentaria, su porte, su acicalado pelo peinado hacia atrás, hacían pensar, a todos los que le miraban, que se trataba de una persona educada y cortés. Pero su chasco fue mayúsculo cuando lo oyeron gritar:

- *¡Oiga, Usted...! ¡Oiga, mesera! ¡Venga acá de inmediato! Esta cosa está incomible. Llévesela y tráigame una verdadera sopa. ¡Es la maldita tercera vez que me trae esta porquería!*

- *Lo siento, señor. Es la especialidad del cocinero. Me temo que él ha hecho su mejor esfuerzo.*

- *¡Bueno! ¡Tráigalo para acá! ¡Me encantaría verlo comiéndosela! ¡Y si no... que venga el gerente, o el dueño, pero ya!*

Esto acontece mientras, en el otro salón del mismo restaurante, una señora bien vestida y enjoyada, oprime los botones de su calculadora con evidente ansiedad. La mesera le ha traído su cuenta, que aparentemente, le ha parecido un insulto.

- *¡Momento! ¡No se vaya! Quédese ahí parada mientras reviso esto otra vez... No, aquí hay un error: me sigue cargando el café, así que descuénteme esos 60 centavos. Y déjeme ver el menú otra vez; estoy segura que este era un especial de $ 12.90, con el café y el postre incluidos.*

- *Estoy segura de que eso está correcto señora. Ya lo hemos revisado cuatro veces, también con el gerente, como usted lo pidió.*

- *¡Pero todavía sigo pensando que es demasiado! $ 48.00 por cuatro personas... En mi calculadora da $ 43.00. ¡Me ha de estar cobrando* *el aire acondicionado! Déjeme ver el menú de nuevo - y ya que está en eso, llame al dueño. ¡Quiero quejarme de sus precios!*

En otra mesa, una joven regordeta echa una mirada a su esposo y le grita a la mesera:

- *¡Hey, oiga! Necesitamos más servilletas. ¡Vea a este pobre hombre, no sabe comer con tenedor!*

Dentro de este cuadro, es imposible no ver a un Don Juan.

Mientras está cenando con su esposa, mira a todas las mujeres que pasan cerca de su mesa. Cuando están a punto de irse, se asegura de dejarle su tarjeta a la cajera (tal vez ella pueda necesitarlo para que arregle su auto), le da un beso de despedida a la señorita que los atendió, le pregunta a la recepcionista dónde consiguió su vestido, y charla con la mujer que está en la mesa contigua, quien le recuerda a alguien especial...

¿ Qué hace a la gente actuar así? ¿ Por qué algunos "humillan" al cocinero y a la mesera para que todo mundo pueda oírlo? ¿ Cuál es la razón para insultar a un esposo frente a la gente, para ser tacaño, para coquetear descaradamente con otras mujeres frente a la esposa? ¿ Qué es lo que hace que las personas presuman, busquen peleas, o se comporten como computadoras? ¿ Qué las hace egoístas o fanfarronas, o amargadas? En otras palabras, ¿ qué hace a la gente difícil tan difícil?

Y si hubiese alguna de ellas en la mesa de junto - o en su propia mesa - ¿ Qué podría hacer usted al respecto?

Empecemos por ver quiénes son estas personas.

¡La gente difícil está en todas partes!

En ocasiones parece como si la gente difícil fuese nuestra compañera de viaje: aparece donde quiera que vamos. A veces, sucede que escogemo uno de ellos como pareja. Un día, la encontramos en la oficina, en e departamento de arriba, o detrás de la caja registradora. Frecuentement no nos damos cuenta de que estamos tratando con una persona difíc cuando la encontramos por primera vez. Especialmente en una relació amorosa, no vemos quién es la persona en realidad; solamente vemos l que queremos. Distorsionamos la realidad, viendo a cada quien de l forma en que nos gustaría que fuera, no como realmente es.

Así, tempranamente en cada romance, idealizamos a nuestras pareja Tal vez también idealicemos a un jefe nuevo, a un vecino o a un parien político, sin darnos cuenta de que en realidad son personas difíciles porque queremos sinceramente que nuestra relación funcione bien. Pe al ir compartiendo experiencias cotidianas, nos vamos desencantand gradualmente. Pensamos que la otra persona ha cambiado; nos sentim engañados y traicionados, y no sabemos qué hacer al respecto.

Pero lo único que ha sucedido es que hemos descubierto la verdad sobre el otro. *¿ Cuál es esa verdad?* Que, como todos los demás, - y como nosotros mismos - es diferente e imperfecto. Especialmente, en lo más intenso de una relación amorosa, o en algunas de trabajo, las diferencias sutiles e imperfecciones pueden empezar a parecer monumentales. Piense acerca de lo complejo que es cada relación: cada persona aporta a ella un juego diferente de valores, hábitos, comportamientos, hasta religión y sistema de creencias. Y después, con el paso del tiempo, nuestros defectos se vuelven obvios para el otro. También se desencanta.

¡Y tal vez pueda vernos a nosotros como personas difíciles!

Además, la gente también lleva a una relación sus patrones de comportamiento inconscientes, los cuales fueron desarrollados en la niñez para ayudarse a sobrevivir en situaciones difíciles. Es por esto que decimos que *cada persona difícil se hace, no nace.*

A diferencia de las plantas y los animales, los seres humanos se adaptan no sólo al medio ambiente físico, sino también al psicológico. Entre más complicado sea el medio ambiente de un niño, más difícil le es a éste adaptarse, y más primitivos serán los esquemas que arrastrará a la adultez. Así es como opera la gente difícil: cuando aplica las soluciones primitivas que utilizaba en la niñez a situaciones con las que se enfrenta en la adultez, se encuentra a menudo en conflicto con aquellos que están a su alrededor. Esto nos sucede a todos, pero más frecuentemente a las personas difíciles que están entre nosotros.

Al ir madurando, cada uno de nosotros aprendemos a cambiar algunos de nuestros patrones más dolorosos, y a encontrar soluciones más flexibles y maneras más apropiadas de responder a determinadas situaciones. Pero los patrones permanecen, enterrados profundamente en nuestros recuerdos. Y bajo presión éstos regresan a la superficie, provocando que nos sea complicado congeniar con otros. Después volvemos a experimentar la sensación de ser criticados o no amados o manipulados: *lo que haya marchado mal en la niñez, vuelve a surgir en períodos de estrés*. Los temores que estos sentimientos generan pueden hacer que reaccionemos con agresividad, racionalización o pasividad, depende de cómo hayamos lidiado con nuestro miedo en la niñez.

Pero, como psicólogos, creemos que es absolutamente posible enfrentar y entender todos estos comportamientos. Todos tenemos el potencial para cambiar - *aun hasta la gente más difícil* - y para descubrir lo que cada uno necesita, sin juzgar y sin criticar; así podemos enriquecer y fortalecer nuestras relaciones.

En los capítulos centrales de este libro describimos la mayoría de los tipos de gente difícil con la que nos hemos cruzado en nuestro trabajo como terapistas y líderes de seminarios. Estos tipos aparecen en todas partes, en todas las combinaciones posibles de edad, apariencia física y género. El carácter que describimos en el capítulo sobre compañeros, puede resultar que sea el de su consorte, su vecino, o su hermana. Exploramos sus patrones o defensas, para ayudarle a entender por qué se comportan como lo hacen, para que pueda usted vivir y trabajar con ellos a pesar de que sean difíciles.

Por lo tanto, nuestro principal objetivo es ayudarle a construir mejores relaciones. Con gente difícil, el cambio generalmente depende de usted. Puede que esto sea algo que no desea escuchar, pero es la verdad:

el cambio empieza,
y sigue ocurriendo con su esfuerzo.

Pero será un proceso interesante. ¿Qué tiene usted que perder?

En el resto de este capítulo describimos cómo las relaciones se desarrollan, y cómo la gente difícil llegó a ser así. Además, lo alentamos a que piense sobre cómo usted se beneficiará al aprender mejores maneras para vivir con las personas difíciles que hay en su vida.

Por qué las relaciones fracasan

La razón principal de por qué las relaciones van mal se debe a que aspectos de la personalidad de la gente no coinciden del todo. Además de sus distintos valores, creencias y hábitos, cada uno en la relación también tiene una imagen propia de sí mismo y una idea de quienes son los demás en realidad.

Esta imagen de sí mismo puede ser opuesta a su personalidad y talento actuales, y probablemente sea inconsciente, pero **es obvia para las otras personas.**

Como sugerimos arriba, cada persona también posee un conjunto de patrones de comportamiento inconscientes que provienen de las experiencias de la niñez. En la intensidad de una relación cercana, estos esquemas pueden conducir a toda clase de comportamientos negativos y a conflictos, cuando alguien repentinamente ve las contradicciones entre:

Lo que una persona está haciendo;

Lo que otra cree que ella está haciendo; y

Lo que la otra piensa que está haciendo.

El conflicto entre estas tres cosas es causado por los mecanismos de defensa de cada persona, por su manera de explicarse a sí misma las cosas que considera como la *verdad absoluta.*

Todos tenemos mecanismos de defensa. Desde la niñez, cuando tuvimos experiencias dolorosas o confusas, las enfrentamos lo mejor que podíamos, explicándonos las cosas a nuestra manera, aceptando reglas tácitas o explícitas (habladas o no habladas) y repitiendo el comportamiento que nos ganase el amor, la atención o las cosas materiales que necesitamos en el momento. Así también absorbimos las expectativas que otras tenían para nosotros, en lugar de averiguar lo que realmente éramos. Unido, todo esto se convirtió en las pautas de nuestro comportamiento futuro.

Ahora, como adultos, repetimos estos comportamientos una y otra vez, siguiendo las reglas que nosotros mismos creamos hace tanto tiempo. Se han convertido en una segunda naturaleza, porque mientras vamos madurando, las convertimos en capas de protección, y las utilizamos para protegernos en situaciones en las que nos sentimos inseguros. Pero generalmente nos protegen demasiado bien: *las historias que nos contamos a nosotros mismos* acerca de lo que estamos haciendo forman una barrera inconsciente entre nosotros y los demás y nos meten en problemas.

Los mecanismos de defensa de otras personas pueden parecer extraños y en ocasiones hasta cómicos, pero siempre son una señal de que *están sufriendo*; cuando no quieren enfrentar ese dolor, tratan de mantenerlo escondido. Como resultado, pueden desperdiciar enormes cantidades de tiempo y energía peleando entre sí, o lastimándose el uno al otro de incontables maneras, sin llegar a confrontar nunca el conflicto verdadero.

Lo irónico es que no son los individuos los que están en conflicto, sino las sombras que "heredaron"; aquellos patrones que escogieron en sus primeros años. Aquí hay otra ironía:

lo que más odiamos es lo que más imitamos.

La mayoría odiamos nuestros comportamientos y nos sentimos especialmente molestos cuando los vemos en otros. Pero nos encontramos obedeciéndolos de cualquier modo, en lugar de responder libremente en el presente. *¡ Y la gente difícil a nuestro alrededor también obedece a los suyos todo el tiempo!*

Cómo reconocer a una persona difícil

Usted puede distinguir a una persona difícil porque ésta se ofende muy fácilmente. Pero intentará no parecer herida ni revelará su dolor, como lo haría un niño. Un individuo difícil podría tomar un simple comentario como una afrenta a su integridad, a su ética particular o código moral. Frecuentemente un comentario dará justamente en el punto más débil de la personalidad de éste: su sentimiento de inutilidad, su baja autoestima, o su hábito de autodenigrarse constantemente. La gente difícil continuamente interpreta las palabras de otros como ataques directos. Al sentir que otros tienen mucho poder sobre ella, la gente difícil se mete en muchos problemas.

Ellos se manejan del mismo modo en que todos lo hacemos, pero más intensamente. Todos usamos un proceso denominado "proyección". En todas y cada una de las interacciones de nuestra vida, nos conectamos a lo que otros dicen o intentan decir y después lo desciframos según nuestra situación. Tal vez echemos a andar este proceso al sintonizarnos con cualquiera: un amigo, jefe, consorte, quien sea. La mayoría de nosotros, la mayor parte del tiempo, entendemos las cosas considerablemente claras. Podemos seguir instrucciones, responder preguntas, ayudar a nuestros amigos y sostener conversaciones. Pero cuando la otra persona dice algo que se relaciona con alguno de nuestros esquemas, podemos mal interpretar aun la frase más simple. Podemos salir lastimados, enojados o preocupados aun cuando no exista una razón obvia para ello. *¡Es el patrón de conducta que está trabajando!*

La gente difícil es como nosotros, pero un poco más irritable. Posee los mismos patrones de conducta, los mismos temores y penas, pero está "encendida" más tiempo: *cualquier* comentario la puede enojar, dependiendo de su tipo. Aquí hay tres ejemplos comunes de este proceso en acción:

Cuando una persona difícil escucha:	El o ella tiende a pensar:
¿Terminaste tu proyecto?	*Nunca puedo hacerlo a tiempo.* *¿Qué sucede conmigo?*
¿Eso es lo que te vas a poner para la fiesta?	*Lo sabía. Me veo terrible.* *No sé qué ponerme ni cómo usar maquillaje. Nunca me veré bien.*

Como lo muestran estos ejemplos, es posible que una persona difícil tome cualquier comentario, sin importar qué tan neutral sea, y verlo como un ataque intencional a su personalidad; paradójicamente, parece atraerlos a menudo. En su interior, *desea ser atacada*, y cuando nadie lo hace, imagina que alguien, muy pronto, lo hará.

Todos los dramas personales de estos individuos están basados en este mismo proceso. Como no recibieron suficiente amor y reconocimiento en la niñez, tienen muy poco respeto por sí mismos, lo cual los conduce a sentirse mal por cualquier cosa que otros hagan o digan. Para compensar esta carencia, para manejar sus angustias emocionales, buscan constantemente reconocimiento y aprobación.

¿Cómo se desarrolla en la vida cotidiana esta clase de expectativas negativas? Tomemos un ejemplo común. Pablo, un trabajador de una fábrica importante, comete un error en la línea de ensamblaje. Nadie lo nota durante un largo tiempo, pero al final de cuentas afecta la calidad del producto terminado. Roberto, el supervisor de Pablo, lo llama y lo reprende.

Si Pablo es una persona difícil, puede fácilmente dejar tomar a Roberto demasiado **poder** en esta situación. A Pablo le es sencillo transformar el error en el trabajo en un defecto personal, culpándose a sí mismo, en vez de pensar inteligentemente sobre ello. Si se pusiera a **reflexionar** al respecto, Pablo se daría cuenta que la reprimenda es apropiada y justificada: es la responsabilidad de Roberto mantener toda la fábrica funcionando a un alto nivel. Esto no significa que tenga algo en contra de Pablo, sino con su error de desempeño cometido.

Para muchas personas, sería suficiente arreglar el malentendido y "desenredar el enredo". Pero cuando alguien difícil está involucrado, una simple conversación como ésta puede conducir a círculos viciosos de rencores y sentimientos lastimados que se amontonan y conducen a una explosión completa.

Sin embargo, existe otro tipo de persona difícil muy distinta a la que acabamos de describir la cual constantemente se autodenigra, y que es exactamente lo opuesto: **ha descubierto la fuente del conocimiento, la razón y la verdad.** Sus opiniones son tan importantes, que nunca considerará la posibilidad de estar equivocada. Ahí está, en el **centro del escenario**, pavoneándose como la realeza, desplegando su arrogancia. Poco a poco, trata de distanciarse de las personas inferiores, no tan informadas y menos brillantes a su alrededor.

Estas se especializan en culpar a otros de sus propios problemas. Aferradas a su versión de que son extraordinarias y omnipotentes, van por la vida peleando y dominando. Lo que los mantiene es pura rabia:

- *¡Tienes que hacerlo a mi manera! ¡Ahora!*

- *Debes hacerlo así...*

- *Pon atención, cabeza de chorlito. ¡Veamos si puedes aprender a hacerlo como yo!*

- *Se hará como yo digo. ¡Y ni una palabra más!...*

Esta clase de gente difícil, ya sean hombres o mujeres, está constantemente en guardia, lista para combatir. Quiere ser superior en toda situación, por complicada que ésta sea. Tampoco duda en alardear:

- *¿Yo? Yo nunca cometo errores.*

- Tengo mis derechos y nadie va a ponerlos en duda.

- ¡Las cosas se harán como yo digo o no se harán!

¿ Le suena esto familiar? Probablemente sí, porque todos nosotros, sin excepción, podemos y tenemos contacto con personas difíciles. Las encontramos en el trabajo, en el banco, en el camión, en el supermercado, en el restaurante, en la playa... En nuestro propio hogar. Cuando las encontramos, *¿cómo reaccionamos?*

Podemos huir de estas relaciones difíciles o simplemente ignorarlas. Podemos quejarnos de ellas y dejar que la relación se deteriore. O podemos enfrentar que vivir con estas personas es inevitable, e intentar nuevas aproximaciones que enriquezcan la relación y que hasta pueden hacerla placentera. Aquí hay algunas sugerencias para lidiar con ellas.

Cómo lidiar con una persona difícil

Primero que nada, trate de entender qué es lo que la otra persona quiere. Probablemente sea alguna forma de reconocimiento o amor, no importa qué tan rara sea su forma de obtenerlo. No juzgue lo que dice, y no trate de hacerla cambiar con lógica y razonamiento. Sólo observe su comportamiento, y trate de ver los motivos de los problemas que causa. Si no ha averiguado todavía por qué los provoca, el siguiente capítulo lo ayudará a lograrlo.

Segundo, recuerde que usted no tiene que estar de acuerdo con ella. Simplemente déjela ser. Déjela expresarse, y eventualmente la dejará entrar en confianza lo suficiente para que pueda entonces decirle lo que piensa. Decídase a ser flexible, abierto, y seguro. Ayudará mucho si usted es gentil y amable y le permite ser lo que necesita. Nunca condescienda y siempre sea entusiasta con sus ideas. Aunque estos principios pueden ser difíciles de practicar, *funcionan.* Contrarrestan su tendencia a ser difícil.

Una actitud más importante para lidiar con gente difícil es entender el origen del poder que tiene sobre usted. Como lo hemos explicado, este tipo de personas ha aprendido a manipular y a controlar a los otros como única forma de sobrevivir cuando las cosas fueron difíciles en su niñez. Así que continúan manipulando, para hacer sentir estúpidas, indefensas, incómodas, sin valor... a las otras personas. Cada clase de gente difícil manipula a su modo.

La manera de liberarse de su habilidad para manipularlo a usted es comprender que *somos responsables de nuestros propios sentimientos.* De hecho, escogemos lo que sentimos; nadie más puede hacerlo sentir mal si usted se siente bien por dentro. Eso puede ser difícil de recordar cuando está frente a frente con una persona difícil, pero es en verdad importante. *¿Cómo puede otro hacerlo sentir mal? ¡Sólo si usted lo deja!*

Si se siente mal por esta situación, podría empezar por mirar dentro de usted, en lugar de buscar razones de fuera, especialmente de las personas difíciles en su vida, para explicarse lo que sucede. Puede ser particularmente duro recordar esto en época de estrés:

pero usted le da a otros el poder de influir en usted

ya sea positiva o negativamente. Y ya que la persona difícil está haciendo lo mismo, depende de usted romper el ciclo.

Ahora, con el propósito de interrelacionarse con la gente difícil que hay en su vida, necesita entender los patrones en los que podría meterse. Una vez que comprenda cómo opera su persona complicada, usted será capaz de predecir su comportamiento y después planear el suyo propio, aprendiendo a desconectar sus aspectos difíciles.

Por tanto, dedicamos los siguientes cinco capítulos a los distintos tipos de personas difíciles que puede encontrar en todas partes, pero específicamente en el trabajo o en su matrimonio. Mientras le describimos los tipos, también le ofrecemos formas de lidiar con ellos. *¡Ya que las personas difíciles están en todas partes, es mejor que tratemos de sacar el mayor beneficio de ello!*

¡Todos tenemos ciertos derechos y las personas difíciles tienden a obstruir esos derechos, por lo cual lo hacen enojar! ¡Sana respuesta! En el Capítulo 8 le proporcionaremos un ejercicio que le ayudará a recuperar algunos de esos derechos. Pero por ahora tal vez sólo quiera pensar sobre lo que han hecho con sus derechos, y cómo desea trabajar en recuperarlos.

Derechos Básicos

Como seres humanos, tenemos ciertos derechos inherentes. Esto incluye el derecho:

1. A ser respetado en todas las relaciones sociales y emocionales.

2. A expresar nuestros sentimientos y no ser juzgados o rechazados por hacerlo.

3. A pedir lo que necesitamos, para que nadie tenga que adivinarlo.

4. A tomar nuestras propias decisiones. Nadie más sabe lo que necesitamos.

5. A escoger cuándo cambiar, en base a nuestras circunstancias.

6. A utilizar nuestros propios estándares mientras nos adaptamos a las situaciones a nuestro alrededor.

7. A no ser perfectos.

Todos tenemos estos derechos. Si una persona difícil está obstruyendo alguno de los suyos, le daremos las herramientas que cambiarán esto. Usted puede recuperar la libertad que le pertenece de nacimiento.

Recuerde:

Todo lo que hacen las personas difíciles es un intento para obtener reconocimiento y amor.

CAPITULO 2

Personas Difíciles:
Ocho tipos comunes

Si queremos entender a las personas difíciles que hay en nuestra vida, necesitamos identificarlas para ver cómo operan. Esto significa considerar sus virtudes y defectos así como sus faltas, sus derechos y la manera en la que infringen los nuestros.

Lidiar con una de ellas implica usar algunos comportamientos muy específicos. Algunos de éstos se aplican a todas las personas difíciles y otros son sólo para tipos en particular. Así, primero necesita averiguar con que tipo de gente difícil está usted tratando. En este capitulo destacaremos ocho tipos que se pueden encontrar en todas partes, aunque seguramente... ¡Usted conoce más! A lo largo de este libro, alternaremos clasificaciones femeninas y masculinas porque ambos, hombres y mujeres, pueden ejemplificar cada una de ellas.

El Huracán

Este tipo se lanza derecho a la acción sin ningún intento de negociación. Tampoco tiene dudas sobre acusar, acosar, amenazar e intimidar a quien se le atraviese. Es un dínamo de energía, siempre en movimiento. Pero generalmente hay algo de agresivo en esta energía: su voz es alta e impone, y su mirada aguda y penetrante.

Mauricio tiene treinta y cinco años. Su verbo preferido es atropellar, porque lo conjuga todos los días a través de sus acciones. Como vulgarmente se dice, "le vale" cuando se trata de conseguir algo, que obviamente obtiene. Tiene el poder de intimidar a cualquiera, y lo sabe, por lo que podríamos decir que es como una bombita de tiempo que siempre esta a punto de estallar. Al principio atrae a las personas como la miel a las moscas, pero terminan desencantándose de el y sencillamente lo abandonan, deseando no volver a tener nada que ver con ese "sujeto difícil". El precio a pagar ha sido su soledad, la cual le provoca cada vez más mayores problemas.

Debido a que el Huracán actúa tan beligerantemente como Mauricio, pasa como prejuicioso, resentido, rígido y condescendiente. Con frecuencia lo escuchamos decir:

- *¡ Te dije que no discutieras conmigo!*

- *¿Acaso pedí tu opinión? Entonces... ¡Para qué hablas!*

- *¡Me importa un comino si no te gusta!*

- *Ya lo hice, así que tómalo o déjalo...*

- *No repito: lo que digo se hace.*

Aunque ciertamente es bueno para expresar sus opiniones y dar órdenes, es raro que pueda manifestar sus propias emociones, y no le importa lo que otros piensen de él. Para este tipo, las otras personas son sólo *otro escalón en la escalera,* medios para sus fines. Si se une a una conversación, es únicamente para presumir y hacer menos a los demás.

Esta persona difícil es capaz de agresiones enormes e irracionales debido a que no está en contacto con sus emociones. Cualquier pérdida potencial de poder lo vuelve hasta más agresivo.

He aquí cómo sobrevivir alrededor de esta gente difícil:

1. Déjelo cansarse con sus discusiones e insultos. Haga como si lo estuviese escuchando pero no permita que sus groserías lo molesten. Para usted, esta actitud es la mitad de la estrategia. Ni siquiera piense en responder a su negatividad, porque eso le dará otra excusa para repetir la pelea.

2. Sea firme y asertivo con él. No le responda con nada que parezca enojo, pero tampoco deje que le gane. Cuando usted tenga un buen caso, primero señale los aspectos positivos de su discusión y después diga por qué no coincide con él.

3. Lo más importante de todo: no reaccione agresivamente enfrente de él. No sabe cómo podría perturbarlo. En vez de eso, trate de crear una atmósfera pacífica en la cual usted pueda trabajar en construir una relación.

4. Algunos Huracanes no lo tomarán en serio a menos que usted parezca un poco enojado; de otra forma piensan que no es sincero. Así que observe a su Huracán para ver cómo responde, y exprese su enojo si cree que esto ayudará. Pero en cualquier caso sea muy cuidadoso para que no parezca que está listo para empezar una pelea con él.

La Víbora

Viviana ha llegado muy alto: ha sabido desempeñarse de maravilla. Pero se ha ganado el lugar a base de artimañas y estrategias muy bien definidas. Es directora de una compañía internacional de cosméticos, y aunque el presidente de la misma ha querido despedirla en varias ocasiones, no lo ha logrado, sintiéndose cada vez más frustrado y apesadumbrado. La razón: no haber detectado a tiempo a esta persona difícil, la cual está trayendo una gran cantidad de complicaciones a la corporación.

Como Viviana, esta persona difícil tiene un buen sitio en la escala social y profesional, pero no tan alto como le gustaría. Para alcanzarlo, estaría dispuesta a hacer *cualquier cosa* - hasta tomar el crédito por las ideas y el trabajo de otros. Para nutrir su propio ego, se alimenta de las debilidades de la gente. Su principal forma de comunicación es el sarcasmo: es muy buena para humillar, siempre en presencia de un testigo. Si ella puede hacerle ver como un tonto, lo hará, después se irá, dejándole a usted con el paquete.

No es ni buen gerente ni buena amiga, ya que constantemente comete errores y molesta a los demás. Para encubrir esto, corta a las personas de manera sutil y siempre busca aprobación antes de establecer sus metas. Sabe muy bien cómo llevar a cabo sus ataques: si usted responde a su provocación, se vuelven más sofisticados y difíciles de detectar y neutralizar. En ocasiones puede ser en verdad maquiavélica: parece que siempre tiene "un as bajo la manga", el cual usa con sutileza, y cuando menos se espera, para obtener lo que desea.

Por lo regular, concentra sus ataques en aquellos que amenazan el césped de su casa: ha invertido mucha energía negativa en llegar a donde está y no recibe bien a la oposición.

También es obcecada y opresiva; pero su presencia física, como su personalidad, es "limosa". La gente se aleja instintivamente - a excepción de algunos hombres que son atraídos por su poder -. Y se adorna con una amplia sonrisa falsa, hasta en lo más crítico de los desacuerdos.

Frecuentemente la escuchamos decir:

- *¿Quieres decir que no sabías?*

- *Lo hice para defenderte porque no sabías todo lo que estaba diciendo de ti*

- *¡Sabía que te ibas a enojar! Me pregunté qué sería lo mejor estacionarme en sitio prohibido o caminar tres cuadras. Así que aquí está tu multa.*

- *No te lo comentamos porque sabíamos que darías por hecho que estabas invitado.*

- *Sabía que podía contar contigo, así que te puse como mi aval. Ten, firma.*

Para lidiar con personas como ella, enseguida está lo que se puede hacer:

1. Ponga atención a su lenguaje corporal, más que a sus palabras. Y fíjese en cómo se siente en su presencia.

2. Mírela directo a los ojos y sea firme. Pregúntele una y otra vez lo que trata de decirle, hasta que pueda pasar bajo el sarcasmo. Asegúrese de que en realidad esté interesada en discutir ese tema.

3. Tenga cuidado de no imponer su punto de vista cuando comience una conversación. Siempre busque caminos alternativos para mantener el diálogo.

4. Si una situación se vuelve complicada o desagradable, y usted tiene testigos de lo que ella dijo, obtenga su apoyo, porque entonces tendrá que mantener su palabra.

5. Debido a que tiende a ser tan escurridiza, asegúrese de que su información es exacta y tenga evidencias para apoyarse en sus conversaciones con ella. Esto puede parecer mucho trabajo, pero es en momentos como éstos cuando podrá controlar el poder de la Víbora con su inteligencia.

El Hombre Espectáculo

Este personaje es muy fácil de identificar: *siempre quiere ser el centro de atención,* a cualquier precio. Si por alguna razón no lo consigue la primera vez, seguirá intentándolo. Cada ocasión social es una oportunidad para presumir y obtener atención:

- *Eso me recuerda la quinta vez que fui a Europa.*

- *Apuesto a que puedo besarte sin tocar tus labios.*

- *Debiste haberme visto anoche. ¡Estuve electrizante! Todo el mundo se detuvo a verme bailar.*

Así habla Ernesto, que ya tiene cansada a su esposa Lulú de ser el "payaso de la fiesta". Lugar a donde van, sitio donde se presentan, su "Showman" hace de las suyas hasta terminar siendo verdaderamente ridículo. La última que hizo, y la peor de todas, fue en la boda de Anita y Pepe, cuando se puso a bailar arriba de la mesa. Todos se divertían con él, menos Lulú, quien abandonó el salón con un nudo en la garganta. Aquella noche, de golpe, comprendió que estaba casada con un hombre difícil y que tal vez ya no podría soportarlo.

Se acordó también de la ocasión en la que fueron invitados a una fiesta en el club: por más que se esforzó, Ernesto no había logrado atraer la atención de nadie. Se sintió tan mal que se puso violento. Hasta recurrió a su arma secreta: contar cuentos. Inventó las historias más atroces e increíbles para conseguir que le hicieran caso; estaba dispuesto a hacer lo que fuera para asegurarse de que no era ignorado, de hecho su temor más hondo. Pero no sirvió de nada.

Cuando llegaron a la casa, hizo su acostumbrado "show", mientras Lulú lo miraba desde lejos, sentada en el sofá, pensando qué tan vulnerable le resultaba Ernesto así, demandando comprensión, paciencia y apoyo, sin mencionar los constantes cuidados, mimos y halagos a los que lo tenía habituado.

Sin embargo, el Hombre Espectáculo tiene algunos puntos fuertes, por ejemplo: su capacidad de fantasía le permite tomar toda decisión importante en medio de una fiesta, ¡no importa si son irreales! También crea una atmósfera alegre dondequiera que va: asume que si está feliz, todos los demás también tienen que estarlo. *Es la alegría de las fiestas.* También es, obviamente, muy creativo, pero le es difícil hacer algo trascendental porque pasa la mayor parte de su tiempo en un mundo de fantasía.

Si usted quiere desarrollar una relación con un Hombre Espectáculo que vaya más allá de ser su mera audiencia, esto es lo que hay que hacer:

1. Sea paciente. Déjelo actuar y actuar hasta que quede exhausto. Muéstrele que usted está interesado y dispuesto a escuchar. Pero también asegúrese de prestar atención a su lenguaje corporal, para asegurarse de que le está diciendo la verdad y no sólo otro cuento entretenido. *¿Parece ansioso cuando habla con usted? ¿Qué le están diciendo sus brazos, manos, expresiones faciales y postura?*

2. Reitérele que en verdad le está poniendo atención, y que entiende lo que es importante para él.

3. Nunca lo ignore ni lo ridiculice, especialmente frente a otros: eso sería devastador. Tenga cuidado de nunca parecer crítico ni juzgar.

Si quiere hacerle un gran favor, muéstrele cómo controlar su temor a ser ignorado. Señale dónde se hace cargo su imaginación y ayúdele a lidiar con la realidad que parece ser tan dolorosa para él. Aliéntelo a pensar en maneras más positivas de obtener atención, como ser parte del equipo en el trabajo y ser un amigo sincero o un buen padre. Gradualmente, se aceptará como parte de la fiesta, no sólo como la estrella.

La Snob Intelectual

Necesita tener la última palabra, para **parecer que lo sabe todo.** Se pasa la vida estudiando, investigando, y queriendo aprender sobre todo. Cuando no sabe, investiga exhaustivamente.

Es muy difícil sostener una conversación con ella porque siempre tiene la información más reciente sobre el tema. Frecuentemente la encontrará participando en discusiones, utilizando las estadísticas más nuevas y sus conclusiones más deslumbrantes al respecto:

- *De acuerdo con los expertos...*

- *No lo inventé. Estoy citando a Voltaire.*

- *Por supuesto que puedo hacerlo. ¿No te dije que tomé un curso especializado de computación?*

- Pero... ¿No han leído a Einstein?

Debido a que necesita tanto ser apreciada, se mete en toda discusión posible para probar cuánto sabe. Cuando se siente amenazada, utiliza cada trozo de su información acumulada. Si usted hace algo tan mínimo como repetir un detalle, se arriesga a obtener un punto en contra: es difícil para ella admitir que no sabe algo.

En público, parece ser un tanto intelectual y puede ser demasiado firme. Pero frecuentemente los que escuchan no se dan cuenta que todas sus palabras e ideas son sólo una máscara para su temor a ser ignorada. También escucha con gran atención, lo que le permite cuestionar cualquier opinión, y obtener hechos sólidos para apoyar sus conclusiones. Además, esto la ayuda a pasar como alguien que está interesado en comunicar y compartir información, cuando en realidad lo que le interesa es impresionarle a usted.

Para llevarse bien con la Seudo Intelectual:

1. Escuche atentamente todo lo que dice; no se distraiga ni por un segundo. Ella necesita el reconocimiento.

2. Siempre pida explicaciones: se sentirá halagada de que a usted le importe. Sólo tenga cuidado de que no suene como si la estuviese atacando, porque se puede poner a la defensiva.

3. Haga preguntas que se relacionen directamente con lo que está diciendo. Su afán de perfección la llevará no sólo a buscar los errores en cómo usted pregunta, sino también a criticarlo por no poner suficiente atención a lo que ella estaba diciendo.

4. Nunca discuta lo que dice, especialmente cuando lo está haciendo. Tal vez pueda sentir que usted se está entrometiendo en su explicación.

5. Asegúrese de sus argumentos si va a tener que decir algo que la rete. A menos que sus ideas sean totalmente comprobables, usted podría darle entrada para nuevas discusiones.

6. Jamás la ponga en evidencia. Si en verdad usted tiene que decir algo que pueda sonar como oposición, primero hágala sentir segura. Valórela y a los puntos que ha establecido, y diga que confía en su habilidad y que de ninguna manera está menospreciando sus esfuerzos y sus ideas. Después déle varias alternativas y déjele una posibilidad para "salvar cara".

El Pseudo-Intelectual

Rodrigo es un hombre brillante. Aparentemente... Detrás de ese enceguecedor reflejo, existe una persona difícil que tuvo que recurrir a su fantasía desbordante para hacerse notar.

Lo paradójico es que sabe su problema, pero lo justifica con sus propias ilusiones: pero ahora, ya es demasiado tarde.

Sin embargo, quiere ser reconocido todo el tiempo como brillante. Quiere que usted piense que él sabe más que nadie, debido a sus intensos estudios. Tal vez sea una persona que creció en una familia muy educada, y constantemente tiene que demostrar que es tan bueno como los de su familia. De hecho es bien intencionado; sólo que *piensa que la manera de tener a la gente a su alrededor es deslumbrándola con su "esplendor".* El problema es que los hechos de los que depende tanto no existen en el mundo exterior, sino tan sólo en su imaginación.

- *¡Por supuesto que soy ingeniero!... No tengo diploma porque fue robado.*

- *Te digo que así es, porque tengo información de primera mano. De verdad.*

- *No lo hubiese creído tampoco, pero acabo de leerlo en un libro. No me acuerdo del título o del autor... Pero sí lo leí.*

El Pseudo-Intelectual vive en un mundo fantástico de su propia creación, el cual es superficial pero ingenioso. Construye sus argumentos de modo que él pueda ser el primero en creerlos. Es muy platicador, con un extenso vocabulario.

A la vez es entretenido y encantador: por lo general la gente cae por sus historias y después por él.

Y es ciertamente creativo e imaginativo. Vive rodeado de cifras, razones e ideas, y colorea su conversación con interminables anécdotas divertidas.

Pero no puede escapar a su propio mundo de fantasía. Ya que no ha creado una gran reputación para sí mismo, está ansioso, y la atención positiva que obtiene al compartir sus increíbles historias lo mantiene.

En este sentido, es muy parecido al Hombre Espectáculo. La diferencia es que él utiliza su supuesto conocimiento para obtener atención, mientras que el Hombre Espectáculo entretiene con historias, canciones y bromas. Sin embargo, para cualquiera de los dos tipos, esta clase de comportamiento los detiene de tomar riesgos para lograr algo que valga la pena. En un momento determinado, la ilusión se vuelve tan fuerte que ni él puede escapar de su propio engaño.

Para convivir con un Pseudo-Intelectual:

1. No lo desenmascare en público o frente a personas que él valore.

2. Tenga cuidado de nunca parecer crítico o agresivo. Si quiere ser un amigo de verdad, puede ayudarlo a dejar gradualmente de decir

historias y a usar su intelecto de mejores maneras. He aquí cómo:

3. Escuche pacientemente sus disculpas sobre lo que le parece mal de sus sugerencias, después recuérdele otra vez que tiene que mantenerse en contacto con la realidad.

4. Cuando él tenga una oportunidad de poner en uso algo de su conocimiento, asegúrese que tenga información precisa. Sugiera que lea algunos libros de moda para que se actualice. De hecho tal vez usted pueda ayudarlo a encontrar cosas para leer.

5. Apóyelo para que consiga ser reconocido por sus cualidades personales, tanto por su habilidad para entretener. Como sugerimos para el Hombre Espectáculo, ayúdelo a desarrollar relaciones de apoyo y a ser el buen amigo y padre que realmente quiere ser. Según vaya ganando confianza en sí mismo por vivir una vida más realista y centrada, será capaz de dejar parte de la exageración y disfrutar genuinamente su vida intelectual.

La Quejumbrosa Profesional

Ella *utiliza el dolor y la pesadumbre para ser el centro de atención,* pero cada vez que cree que ha encontrado simpatía, se las arregla para irritar y aburrir a todos a su alrededor. Entonces tiene que buscar a más personas que escuchen sus problemas.

Este parece ser el caso típico de Martha, quien ya no sabe qué artimañas utilizar para atraer la atención de sus pocos amigos, que están pensando seriamente en ya no frecuentarla. Le ha dado por inventar aflicciones que resultan ridículas, y se la pasa tomando poses que dan lástima.

Debido a que es tan inmadura, no ha creado realmente una vida propia. Así que busca contacto con personas que le dejen entrar en algunos aspectos de sus propias vidas -tal vez hasta intimidades -. Pensará constantemente en estos nuevos amigos, y hasta se volverá dependiente de ellos, pidiéndoles que la ayuden a tomar sus decisiones. Dice cosas como éstas para hacer que las demás personas se involucren en sus problemas:

- *¿Tú qué harías? ¡Siento que me muero!*

- *No me culpen. Todo lo malo siempre me sucede a mí.*

- *¡Sabía que algo iba a salir mal! ¡Tengo tan mala suerte!*

- *No puedo hacer nada. Todos están en mi contra...*

- *¡No puedo preguntarle a nadie más! Si tú no me ayudas, ¿entonces qué voy a hacer?*

Hasta parece como si estuviese a las puertas de la muerte. Se rebaja y se mueve como si estuviese arrastrando una maleta de mil kilos. Su cabeza está tan inclinada que apenas se puede escuchar su voz, que suena débil, tentativa y como derrotada.

De hecho, es muy buena para analizar y comprender lo que está sucediendo a su alrededor. Pero en vez de utilizar este talento para arreglar su propia vida, lo usa para manipular. Su angustia la hace actuar impacientemente, como si sus problemas merecieran más atención que los de los demás.

Así que también quiere que ellos le recuerden constantemente que la aman y la aprecian. Por lo tanto los valora sólo por la manera en que pueden ayudarla. Pero no importa lo que hagan, se queja constantemente, con el fin de evitar enfrentar la culpa de no hacerse cargo de su propia vida.

Trata de obtener algo de paz descargando sus responsabilidades y problemas en otros, y culpándolos de las situaciones a su alrededor. Entonces puede continuar diciendo que por alguna razón todo lo malo siempre le ocurre a ella.

Estas quejas la dejan tan crónicamente necesitada que nadie quiere tener nada que ver con ella. Entones tiene que encontrar a otros, aun extraños, que escuchen sus desgracias, y cuando las ha agotado, inventará nuevas enfermedades o problemas o recurrirá a otras maneras de expresar sus viejos problemas - cualquier cosa para conseguir atención-.

¡Es claro que puede cansar a cualquiera!

Si usted quiere llevarse bien con una Quejumbrosa Profesional, he aquí algunas maneras:

1. Siempre póngale cuidadosa atención; escuche paciente y amorosamente lo que tiene que decir. Cree un ambiente relajado y seguro para que pueda sentir que usted está interesado en lo que le sucede a ella.

2. No la ignore, porque éste sería un golpe terrible a su autoestima. Recuerde que su actitud de vida es pasiva.

3. Acepte sus limitaciones y no la presione para que haga cosas que están más allá de sus posibilidades. Tiene tan poca autoestima que podría no soportarlo.

4. Haga preguntas concretas acerca de sus problemas, y hágale saber que usted tiene sólo cierta cantidad de tiempo para escucharla. No se sienta agobiado por el repentino montón de quejas.

5. Si repite lo que ya ha dicho, siéntase libre de decirle que ya escuchó eso. Si usted limita el número de oportunidades que ella tiene para quejarse, tal vez tenga que parar.

6. Sugiérale que busque información que podría resolver sus problemas. Si no deja de quejarse - lo cual sería un milagro - por lo menos entenderá su insinuación y lo dejará en paz.

7. Cuando dé algún paso para resolver sus propios problemas, elógiela profusamente, y apóyela para que siga haciéndolo.

8. Siga recordándole acerca de sus talentos y habilidades, para que cuando tenga la más mínima oportunidad, recuerde darles un buen uso. De este modo, tal vez encuentre maneras de ser más independiente.

9. Si se las arregla para resolver algunos de sus problemas, y ella es su

amiga, intente pedirle consejo para sus propios problemas reales. Así, se sentirá necesitada y valiosa, y usted estará cambiando las cosas.

El Gran Cara de Piedra

Sobrevive sólo gracias a las personas que están a su alrededor. *Es tan pasivo que a veces tiene problemas hasta para abrir la boca para expresarse.* Por lo tanto, puede ser difícil averiguar si está cómodo en su sillón reclinable o si está contento en su propia fiesta de cumpleaños.

Parece que estuviéramos hablando de Carlos, quien se las ha arreglado para desesperar a todos a su alrededor, con su mutismo incómodo, con su apatía inquebrantable. Su novia le ha puesto un ultimátum, y aunque la quiere mucho, no está dispuesto a cambiar en nada; está orgulloso de ser una persona difícil, y seguirá demandando atención a toda costa.

También es manipulador: hace pensar a aquellos a su alrededor, que no entienden nada o que son egoístas y que realmente no les importa nadie. A menudo lo escuchamos decir:

- *No importa si van o no. Para mí es lo mismo.*

- *¿Por qué siquiera tratar de hacerlo mejor?*

- *¿Para qué hacer todo ese esfuerzo?*

- *Ahora ya no importa.*

Obtiene atención simplemente por ser tan callado y pasivo. Apoltronado en su silla, sin decir nada y deseando que todos se fueran; tiene un temor terrible de ser conocido por alguien, por el miedo de que si lo conocieran en realidad, lo rechazarían.

Cuando comienza una nueva relación - lo que es bastante inusual - tal vez se las arregle para hacer algunos comentarios ligeros, tratando de parecer agradable y encantador. Pero después, aun en una atmósfera segura y cómoda, se encerrará y será tan frustrante como siempre.

Su silencio es su protección: puede esconderse tras él mientras observa a los otros y reúne información. El silencio pues, se convierte en un arma perfecta, defendiéndolo en época de conflicto, y aquellos que están lidiando con él no tienen ninguna forma de averiguar esto. Sin embargo, puede ser como una navaja de doble filo. Mucha gente se rehusa a involucrarse con ellos porque parece tener tan poco qué ofrecer... *¿A quién le atrae el silencio del Gran Cara de Piedra?*

Asimismo, una gran cantidad de personas tomarán su silencio como peligroso de algún modo: si no dice nada, tiene que estar escondiendo algo.

Enseguida algunas sugerencias para lidiar con este tipo de persona difícil:

1. Déle bastante tiempo para hablar de cualquier tópico que él escoja. Escúchelo atentamente, y asegúrese de hacer buen contacto visual con él.

2. Elabore preguntas a las que pueda responder fácilmente.

3. Acéptelo tal como es: su conducta, su lenguaje corporal y sus actitudes.

4. Vaya a algún lado con él, un lugar que él escoja. Se sentirá más agusto con usted si lo deja decidir a dónde ir.

5. Sea paciente y consistente. Déjelo saber que a usted le agrada y lo aprecia profundamente.

6. Si no puede establecer una conversación en su primer intento, vuelva a hacerlo: programe nuevas citas con él por cualquier razón que se le ocurra.

7. Trate de averiguar qué tan interesado está en comunicarse con usted, y adapte lo que usted hace con relación a ello.

8. Si aún no habla, recuérdele el refrán que dice que "el que calla otorga".

Señorita Negatividad

Su vida está llena de pensamientos, sentimientos y comentarios negativos. **Criticará y estará en desacuerdo con todo,** y puede decirle por qué

53

fallará su proyecto o idea. Con su don de análisis, fácilmente entiende las acciones de otra persona, pero siempre desde un ángulo negativo:

- *No puede hacerse. No funcionará de ese modo.*

- *¿No te das cuenta que estamos perdidas? No podemos hacer nada...*

- *Ahí voy de nuevo... ¡Directo al desastre!*

- *Si yo fuera tú, ni siquiera lo intentaría. No serás capaz de convencerlo.*

- *Estoy segura que dirá que no. Mejor no debería preguntar siquiera.*

Usted la reconocerá instantáneamente por sus expresiones faciales hundidas y su vestimenta descuidada. Al verla, se dará cuenta que no se preocupa mucho por sí misma; y rápidamente hace que otros sientan igual.

O también puede tener un aspecto rígido en su rostro, con los músculos y la mandíbula tensos, como Leopoldina, una joven que ha sido despedida de varios buenos empleos y ha roto relaciones con tres jóvenes apuestos, precisamente por este "pequeño detalle" de su carácter: es tan negativa que todos terminan evitándola.

Aunque es bella, educada y bastante inteligente, utiliza esta actitud para llamar la atención, e inclusive, para hacerse daño a sí misma. Es una persona difícil de entender y bastante contradictoria.

Una vez que haya reconocido a alguien como ella, podrá evadirla. La mayoría lo hace, porque tiende a contaminar la atmósfera con sus predisposición negativa hacia todo.

Por supuesto, también se las arregla para arruinar toda oportunidad que se le presenta, encontrando maneras creativas de hacerlas imposibles. Si conoce a un hombre, le encontrará todos sus defectos: si es católico, ella quiere un bautista; si es doctor, ella desea un abogado; si es alto, prefiere uno bajo. Si tiene una oferta de trabajo, encontrará excusas para no aceptarlo: el trayecto, el sueldo, el jefe, el vecindario, - cualquier cosa.

Para llevar una buena relación con la Señorita Negatividad:

1. No la deje influenciar su visión sobre la vida.

2. No permita que afecte su propia autoestima.

3. Déle espacio para presumir y haga como si le estuviese poniendo atención a lo que dice.

4. Simplemente escúchela y no se preocupe demasiado por llegar a un acuerdo.

5. Cuando haya terminado alguno de sus comentarios, pídale que haga

una pausa y que piense en lo que está sintiendo en ese momento. ¿*Valió la pena? ¿Cuál es el beneficio de toda esa negatividad? ¿Está orgullosa?* Sugiérale que haga esto después de cada explosión negativa. En determinado momento quizá deje de hacerlo, una vez que se dé cuenta que todos a su alrededor pueden ver a través de ella.

En Síntesis

Esperamos que usted haya reconocido aquí algunos tipos que le son familiares.

Las preguntas que siguen deben ayudarle a pensar en ellos más detalladamente. *¡También serán divertidas y esclarecedoras!*

Preguntas

1. ¿*Conoce a alguien que sea un Huracán? ¿Una víbora? ¿Un Hombre Espectáculo? ¿Una Pseudo-Intelectual? ¿Un Snob Intelectual? ¿Una Quejumbrosa Profesional? ¿Un Gran Cara de Piedra? ¿Señorita Negatividad? Si es así, ¿quién?*

2. ¿*Qué es lo que le hizo pensar en esa persona como uno de los tipos descritos?*

3. ¿*Cómo se siente con relación a él o ella?*

4. ¿*Qué le gustaría cambiar de él o ella?*

5. ¿*Le recuerda alguno de estos tipos a usted mismo?*

6. *¿Cuáles? ¿Por qué?*

7. *Si pudiera cambiar cualquier cosa que le desagrada de una de estas personas y estuviera seguro de que funcionaría, ¿qué cambiaría?*

Recuerde:

Entre más sepa sobre las personas difíciles, más fácil será lidiar con ellas.

CAPITULO 3

Compañeros de trabajo

difíciles

Dado que la gente difícil está en cualquier parte, todos estamos propensos a encontrarla en el trabajo. En este capítulo le presentamos varios tipos, le decimos cómo manejarlos, específicamente, y le damos formas más generales de lidiar con toda clase de personas difíciles en el trabajo. Antes de entrar en materia, sin embargo, pensemos un poco acerca de los estilos individuales y la primera impresión que hacen en los demás.

Cada uno de nosotros tiene su propia forma de ser, la cual se va revelando a medida que creamos relaciones, organizamos nuestras vidas diarias, o tomamos un trabajo. Podemos mostrar confianza, miedo, serenidad, o la necesidad de permanecer distantes. En el mundo de los negocios, este estilo es especialmente importante, ya que un gran contrato puede depender de la impresión que dejamos.

Todos minimizamos la importancia de la primera impresión. Y eso es un error. Aunque la primera impresión sólo toma unos cuantos minutos en desarrollarse, después ésta se refleja a través de la actitud y el lenguaje corporal, y puede tener gran impacto en nuestros tratos futuros. Aun cuando la gente está distraída durante la primera entrevista, las imágenes penetran. Es muy difícil cambiar la primera impresión, especialmente si es negativa.

Desde el primer momento podemos ver cómo es una persona, y cómo vive. Podemos "adivinar" sus antecedentes culturales, su posición económica y su nivel de educación. También reaccionamos intuitivamente a otros aspectos de las personas que no podemos evaluar conscientemente. Esta primera impresión, - la cual es una combinación de hechos y sentimientos -, nos predispone a reaccionar de una manera determinada hacia una persona desde ese momento en adelante. Por lo tanto, es de suma importancia que nuestras primeras impresiones no se vuelvan rígidamente fijas, porque entonces perderemos valiosa información.

Cualquiera que sea el tipo de gente que nos rodea en el trabajo, podemos aprender a generar relaciones sólidas y dinámicas, para sentirnos bien y para rodearnos de personas con las que podemos compartir confortablemente nuestra vida laboral. Para alcanzar estos objetivos, sin embargo, cada persona necesita crear un estilo personal efectivo y tratar con los otros estilos que hay alrededor. Por todas estas razones parece razonable echarle un vistazo a algunas clases específicas de compañeros de trabajo.

Antes de pasar a cada uno, queremos prevenirle que ninguno de éstos existe en el estado puro, exactamente como lo describimos, y todos ellos pueden aparecer en su género femenino o masculino. Cualquier persona que usted conozca en su lugar de trabajo, puede tener características de uno o más tipos. Por ejemplo, un Líder puede ser también un Comunicador. Pero siempre prevalece uno de base .Una vez que conozca estos tipos, descubrirá mezclas únicas de ellos cerca de usted.

El Líder

En la compañía para la que presta sus servicios, Gerardo es considerado algo fuera de serie. Es a la vez popular y temido, y nadie ha logrado descifrar su destacada personalidad.

Suele destantear a sus subordinados, pero tiene el don de hacer que perdonen sus cambios y de mantenerlos atentos a sus deseos. Gerardo no ha llegado tan alto como quisiera, porque su "delicado" ego le ha ocasionado múltiples problemas.

A este individuo, como a Gerardo, *le gusta dirigir e interactuar con la gente y reunirla.* Se presenta como sincero y es bueno resolviendo conflictos.

Gusta del reconocimiento y del estatus y trabajará duro para obtenerlos, usando su personalidad activa, iniciativa y objetivos bien esclarecidos.

Un buen organizador, estructura su tiempo cuidadosamente. Se le puede oír decir:

- *Te luciste con esa presentación en la junta. Los tenías boquiabiertos a todos.*

- *Si repetimos eso con nuestros inversionistas extranjeros, creo que los impresionaremos y ahorraremos tiempo.*

Su más grande virtud es su enfoque humanista. Necesita a la gente tanto como requiere lo que ésta puede darle. Su punto débil es que siempre está a la ofensiva debido a que no puede tolerar fallas o las cosas hechas a medias. Para él, la vida es una propuesta constante de "todo o nada".

Para llevársela bien con un jefe o compañero de trabajo de este tipo, usted debe:

1. Estar seguro de reconocer sus logros y ser cuidadoso de nunca lastimar sus sentimientos. Aun cuando él sea una persona valiosa, tiene un ego delicado.

2. Respetar sus hábitos de trabajo: no interrumpirlo mientras está ocupado. Aunque es amigable, puede enojarse repentinamente si usted lo interrumpe cuando está presionado por el tiempo.

3. Cuando usted necesita ayuda con algún problema, tome ventaja de su accesibilidad; preséntele el problema directamente y ofrézcale varias buenas alternativas. Entonces se sentirá involucrado con usted.

4. Asegúrese de incluirlo en reuniones ya que le gusta mucho sentirse el centro de atención.

La Ejecutiva

A ella también le gusta mucho mandar y dirigir, pero no está interesada en el contacto íntimo o en conversaciones amistosas con otra gente. Es competitiva y capaz. Trabaja duro para alcanzar sus objetivos y disfruta haciéndolo.

Pareciera que estamos hablando de Ivette. A veces parece fría y distante, pero es una ilusión: tiene una seguridad en sí misma difícil de igualar. Originaria de una familia pobre y sin educación, se propuso desde chica alcanzar sus sueños. A tal grado ha llegado su obsesión por su carrera profesional, que a sus cuarenta y dos años, permanece soltera y lleva una vida rutinaria, falta de una poca de fantasía.

Usted la oirá decir: "Voy a ser la número uno". Y seguro que lo será; ella es buena en tomar las decisiones correctas que la ayudarán a llegar ahí. Tiene la iniciativa de hacerlo y el amor, el orden y el control que se necesitan para alcanzar la cima.

En el lado negativo, puede ser muy dominante. Cuando ella ordena: *"¡Hagan lo que digo!"*, a menudo inspira miedo y resentimiento.

Algunas veces se obsesiona por alcanzar las metas, es lo único que le interesa, y no está interesada en desarrollar una buena relación con sus compañeros de trabajo o subordinados.

Ya que tampoco tiene interés en transmitir lo que piensa, su conversación a menudo es unilateral. No le importa lo que la gente diga o piense sobre ella.

¿Cómo puede tener una buena relación con una jefa o compañera de trabajo como ésta?

1. No se atraviese en su camino cuando está tratando de hacer algo.

2. No se entrometa en su vida personal. Ella la considera irrelevante en la oficina.

3. No desperdicie su tiempo. Cuando vaya a su oficina, presente su caso precisa y directamente. Para ganarse su respeto, deje claro que usted quiere hacer un buen trabajo y está dispuesto a responder a sus expectativas.

4. No trate de cambiar la marcha que ella establezca: no escuchará.

Trabajar con este tipo de personas significa trabajar duro; aquellos que así lo hacen ganan su reconocimiento, respeto y una relación de trabajo amigable. Los que no quieren trabajar así de duro, o que no les gusta la atmósfera fría y rígida, podrían mejor buscarse otro trabajo.

El Analista

A esta persona difícil no le interesa tanto la gente como le interesan las metas que se ha establecido. Trabaja solo y está completamente inmerso en sí mismo y sus proyectos.

Siempre está bien informado en el tópico de moda, investigando información hasta el mínimo detalle. Su razonamiento es lógico y analítico y su estilo personal puede recordarle bien al de una computadora.

Así es Francisco. Y está solo. Porque Marianela se cansó de sus estadísticas, sus obsesiones y su perfección a la hora de analizar cualquier persona o caso. Para él, realmente fue un descanso, porque estaba harto del desorden de Marianela, de su espontaneidad y frescura. Su matrimonio hubiera sido la locura total, y el rompimiento definitivo al final. Ella le dijo, al despedirse: - "Mira, Paco. Mejor cásate con una robot o con una computadora. Seguro serías feliz..."

El Analista, como Francisco, es obsesivo con la exactitud y tomará en cuenta la opinión de otras personas únicamente si es compatible con uno de sus actuales descubrimientos. En este sentido, siempre acude a la fuente y la estudia profundamente. Parece tener una capacidad ilimitada para el pensamiento lógico y detallado y no tiene ni un ápice de tolerancia para las ideas que son diferentes a las suyas.

Sus comentarios típicos son:

- *No estoy interesado en quien es el culpable. Sólo denme las estadísticas completas de los últimos cuatro años, para que pueda encontrar cuál fue el error.*

- *Este análisis está bien, pero el reporte podría ser más convincente si incluimos una gráfica de las tendencias para los últimos dos años.*

Aunque trabaja duro y a menudo saca excelentes análisis, falla en incluir el elemento humano. Y no admitirá que está "mal" debido a que está muy comprometido con su trabajo.

Si su jefe o compañero de trabajo es una computadora, ¿cómo puede llevarse bien con él? ¡Piense igual!

1. Salúdelo por la mañana y después déjelo solo, para que pueda trabajar por sí mismo.

2. Si usted quiere una sonrisa o una palabra de reconocimiento, háblele de algo que le interese - algo relacionado con su investigación.

Sobre todo, no subestime al Analista. Con su agudo juicio, puede estar lleno de sorpresas. Es más conocedor de lo que la mayoría de la gente se imagina.

La Comunicadora

Esta mujer es exactamente el tipo contrario al Analista. Ella ama comunicarse y relacionarse con otros. Está constantemente trabajando en desarrollar sus relaciones existentes así como otras nuevas. Asimismo, está al día en lo que le está pasando a la gente a su alrededor, y le gusta compartir lo que sabe.

Por ejemplo:

- *Mike, recuerda, tienes treinta minutos para darme ese reporte. Oye, no terminé de decirte la última vez... Mi hermana se divorciará, después de todo.*

- *¡Hey, Martha! ¿Sabes que Raquel está saliendo con otro? El pobre de Rolando ni lo sospecha...*

- *¿Supieron la última de Carolina de Mónaco? ¡Esta mujer sí que tiene vida de princesa!...*

Ya que entrar en argumentos y discusiones serias la hacen sentirse incómoda, trata de inyectar una nota de humor en cada conversación. También le gusta trabajar en equipo y necesita la amistad y el reconocimiento de la gente a su alrededor. La Comunicadora se preocupa por todo y de todos- o trata de.

El problema es que depende mucho del afecto y del apoyo emocional de los demás, y podría fallar bajo presión. Es también duro para ella organizar su equipo y establecer límites. Adicionalmente, tiene problemas para tomar riesgos que involucren relaciones personales, así que deja que otros tomen las decisiones, lo que a menudo la detiene de conseguir que se haga mucho.

Sufre de una tendencia a ver todo "bien" y "bajo control" aun en medio de la catástrofe. Así, algunas veces permite que pasen cosas que son simplemente inaceptables.

Enseguida le decimos como trabajar más fácilmente con una Comunicadora:

. Si usted tiene una entrevista con ella, esté preparado para pasar horas tomando café y socializando.

. Siempre atienda los eventos sociales que ella organiza o promueve: no le perdonará si se pierde de uno. Para ganarse su amistad eterna, dé un pequeño discurso en uno de esos eventos reconociendo sus esfuerzos.

. Establezca límites claros entre su territorio y el de ella. Entonces usted será más capaz de compartir espacio y autoridad.

. Cuando usted esté trabajando en un proyecto, no deje que ella se meta.

Tome sus propias decisiones, organícese y no deje que lo haga cambiar de parecer. Si deja que ella se involucre, entonces espere pasar largo tiempo explicándole cada detalle.

El Forastero

Mauricio tenía un amigo al que apreciaba mucho. Siempre estaba ayudándole a tomar sus decisiones laborales y lo bromeaba acerca de su poco interés para platicar con las muchachas de la compañía, que por cierto eran bastante guapas.

Un Sábado, Mauricio invitó a Felipe a la discoteca de moda de la ciudad a donde acudía lo más "nice" de la juventud. Obviamente, tuvo que insistirle mucho, y hasta fue necesario prestarle una camisa de colores atractivos. Nada más fue llegar, el primero se dirigió a la muchacha más bonita de la noche, y se puso a bailar contentísimo.

Felipe no supo qué hacer. Empezaron a sudarle las manos, y a sentirse asfixiado por el gentío y la música, que lo ensordecía.

Hora y media después, Mauricio regresó a la mesa, y al no ver a su amigo pidió la cuenta y pagó. Encaminó sus pasos hacia la salida, y ahí, sentado en una pequeña barda, estaba Felipe con una cara que nunca podría olvidar. Evidentemente, como el jefe decía: - Este muchacho es muy difícil.

En cada lugar de trabajo una persona trabaja sola... Algunas veces en la esquina más lejana de la oficina. Esta persona es pasiva, quieta, indiferente. Un recluido que evade sus responsabilidades, confrontaciones y que delega el total de sus obligaciones cuando puede. Debido a que detesta organizar cosas directamente, no hace mucho.

Incluso, se ve a sí mismo como una persona que no puede establecer relaciones, porque está aquejado de un montón de dudas. Por lo tanto, tiende a tener más confianza en otros que en sí mismo:

- *¡Oh, yo no sé! Tú eres el experto.*

- *¿Debemos dejar el trabajo así como está? ¿Qué piensas? ¿Así está bien?*

A menudo evade decir lo que es realmente importante, dejando a los demás que adivinen. Por tanto, parece resbaladizo y evasivo, ya que no pone "sus cartas sobre la mesa". El Forastero también tiende a pasar inadvertido: la gente no lo escucha a menos que tenga una posición de autoridad. Pero de hecho, no es una persona desagradable, sólo se asusta de la interacción.

¿Cómo manejarse con un Forastero en el trabajo?

1. Hágase el propósito de siempre interactuar con él:

- ¡Hola, Felipe! ¿Qué estás haciendo hoy?

- ¿Cómo van las cosas?

2. También puede ayudar hacer el contacto físico si usted puede lograrlo sin asustarlo. Por ejemplo, tóquele suavemente el brazo o el hombro cuando pase por su escritorio para decir *¡Hola!* Pero observe cuidadosamente su reacción.

3. Cualquier diálogo debe salir de usted, ya que él no toma la iniciativa. También depende de usted pasar tiempo con él y establecer un área en común que le pueda dar algo de confianza.

4. Apóyelo e interactúe con él lo más posible, pero tenga cuidado de no rescatarlo cuando parezca estar en problemas. Si lo hace, se asirá de usted y en lugar de ayudar, estará atrapado en una obligación no bienvenida. De hecho, él podría llegar a depender de usted si toma este rol muy a menudo, y entonces ambos podrían perder una buena relación.

Comunicándose con compañeros difíciles

Existen varios tipos de conducta que pueden inhibir la comunicación con personas difíciles. Algunas de éstas son una constante con la gente difícil; otras están relacionadas con tareas específicas.

El primer tipo de comportamiento que las personas difíciles utilizan para inhibir la comunicación es el rechazo. A menudo las vemos actuar con desaire debido a sus propios miedos o a las diferencias de raza, política o religión.

El lado impertinente del rechazo es la superioridad: la persona difícil a menudo rechaza a alguien, antes de que tengan oportunidad de rechazarla, pero pasa como esnobismo o arrogancia. Si se ha convencido a sí misma de que es superior a los demás, es casi imposible acercársele, ya que muestra mucho desdén a través de sus gestos y palabras. *La incomodidad general que ocasiona forma una barrera perfecta.*

Algunas personas difíciles tienen un tercer tipo de conducta en su repertorio para el trabajo: crueldad temperamental. En el trabajo, por ejemplo, los Huracanes tienden a etiquetar a aquellos bajo sus órdenes con frases que lastiman sus sentimientos y su dignidad:

- *¡Te estás volviendo más tonto cada día!*

- *¡Eres un bueno para nada!*

- *¡No sirves ni para eso!*...

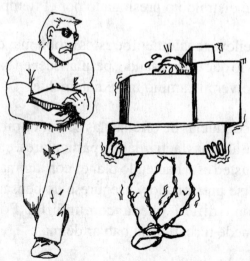

Estas frases hacen que los demás empleados se asusten de expresar sus opiniones por miedo a ser insultados; ellos se detienen a tiempo tratando de entender o de ser entendidos. En ocasiones ni siquiera se requieren palabras para crear este defecto; azotar una puerta o hacer gestos de enojo también inhibirá a los compañeros empleados.

Un cuarto tipo de conducta es el usar lenguaje inapropiado. Por ejemplo, un Analista puede entablar su conversación con jerga técnica que deja al intendente o empleado menos educado completamente confundido. Así, ninguno de los dos entiende las necesidades del otro. En estos casos, ayuda mucho preguntar, clara y directamente, *"¿Qué es lo que estás tratando de decirme?*

Una quinta barrera de comunicación es la tendencia a llegar a conclusiones antes de que la otra persona termine de hablar. Esto es común entre aquellos que piensan que pueden adivinar todo lo que está pasando en la mente de su interlocutor. Esto suele suceder cuando ambas partes tienen ritmos diferentes de pensamiento: uno está hablando muy despacio y el otro está pensando muy rápido. Además, puede que uno de los interlocutores esté distraído o presionado por el tiempo.

El truco para sobrellevar cualquiera de estos problemas de comunicación es observar qué es lo que está pasando, permanecer en calma, planear sus movimientos y volver al camino inmediatamente.

Además de estas conductas de oficina, las personas difíciles pueden ser problemáticas en algunas actividades particulares en el trabajo. Por ejemplo, cuando usted está haciendo planes con alguna de ellas, trate de recordar no sentirse presionado y asegúrese de pensar claramente aun cuando la persona difícil pueda confundirlo. Por ejemplo, una Comunicadora puede turbarnos al hablar de más:

- *Quiero que estés listo a las 2:00 en punto, por favor. Sé puntual ya que a las 2:30 tenemos una entrevista en la oficina del arquitecto para revisar los planos de la nueva oficina. Después de las 6:00 en punto vamos a ir a cenar con el gerente general y su esposa. Quieren conocerte.*

En cambio, un Forastero puede darnos muy poca información:

- Te veo a las 2:00...

Entre estos dos extremos, usted necesita encontrar un balance. *¡Pero está tratando con una persona difícil! ¿Qué es lo que usted necesita saber?*

¿Necesita entender el mensaje del Comunicador hasta el último detalle? Tal vez pueda ignorar parte de él. O tal vez usted realmente tenga que preguntarle al Forastero más información. Dependiendo de este tipo y de sus propias necesidades de información, usted puede elegir qué tanto preguntar.

La misma pregunta se aplica al revés: *¿Qué tanto la persona difícil necesita conocer acerca de usted, y cuándo?* Entonces, cuando sepa que algunos de sus planes están de acuerdo a los de ellos, usted puede decidir tratar o no de negociar acerca de éstos.

Otro problema con las personas difíciles es su costumbre de estar haciendo grandes planes, tratando de llevarle a usted hacia ellos. Por ejemplo, Pedro, el supervisor, tenía una gran idea para reorganizar la oficina, o al menos, lo pensó. Aquí está hablando con Mario:

- *Creo que debemos comprar una computadora nueva para manejar nuestro sistema de inventarios y vender la computadora antigua. Eso nos ahorraría mucho dinero. ¿Te gustaría desarrollar un nuevo sistema? Pienso que eso sería muy interesante para ti. ¿Qué dices? Podríamos contratar a alguien para que nos dé capacitación especial. Después podemos reasignar a Miguel para hacer el... y podemos contratar a alguien para hacer el...*

Note que el pobre Mario ¡no ha sido capaz de tomar la palabra al filo de la mitad del flujo de ideas de Pedro! El entusiasmo es un gran activo en cada relación de trabajo, pero no cuando se pierde el control. *¿Alguna vez Mario será capaz de opinar algo acerca de esta situación?* Después de todo, él será quien estará haciendo el trabajo. Pedro hubiera actuado mejor al haber reflexionado un rato acerca de los detalles de su plan antes de planteárselo a Mario tan impulsivamente.

Otro problema de comunicación con las personas difíciles es que éstas tratan algunas veces de presionar. Por ejemplo, Alberto, un ejecutivo que trabaja para una franquicia internacional, dice a su asistente:

- *¿No has terminado todavía? ¡Ese trabajo debería haber estado listo para ahorita!*

En circunstancias como éstas, usted debe ser valiente. Permanecer calmado y responder confiadamente. Entonces su adversario tenderá más a reaccionar de una forma positiva.

Considere otra situación. Luis llega a la oficina enojado y malhumorado. No será divertido, pero lo que necesita usted hacer es entender la razón de su enojo: simplemente a Luis le han dado mucho trabajo que hacer. Tendrá usted que buscar áreas comunes de comunicación. Estar dispuesto a entender, a cooperar y a mediar. *¡Cualquier cosa que mejore la relación!*

Cómo manejar el descontento

En cualquier relación con una persona difícil, se darán situaciones que parecen imposibles. Como hemos insistido una y otra vez, cuando usted está tratando con gente difícil, debe evitar a toda costa el conflicto. Aunque sea mucha la tentación, *no empiece los problemas y no añada más*. En lugar de ello, usted probablemente querrá disolver cualquier conflicto. Aquí le mostramos cómo.

1. Antes de la conversación, aclare sus propios sentimientos defensivos. Esté prevenido de cómo se siente acerca de la otra persona, y luego piense cuidadosamente. Esto le permitirá planear su respuesta a todas y cada una de las preguntas que usted pueda anticipar.

2. Escuche atentamente y evite distraerse.

3. Esté dispuesto a entender el enojo de la otra persona: bríndele la oportunidad de decir lo que quiera. Tal vez no le guste lo que dice, pero tiene el derecho de expresar su opinión. Si empieza a sentirse molesto, recuerde que usted no tiene que estar de acuerdo; sólo tiene que escuchar. Entonces usted será capaz de entender el asunto en realidad.

4. Escriba cada punto que la otra persona enfatiza. Así usted no se confundirá por la emoción que éste le pueda ocasionar.

5. Claramente, especifique punto por punto qué es lo que espera de la otra persona. Asegúrese de que cualquier cosa que usted diga esté apoyada y balanceada con las expresiones faciales y lenguaje corporal apropiados.

6. Hable en primera persona y en presente acerca de lo que percibe, lo que piensa y lo que siente. Sea directo y positivo.

Como ha comprobado hasta ahora, trabajar con una persona difícil requiere de que usted desarrolle nuevas habilidades. Las relaciones que llegue a crear lo valdrán. Y por supuesto, usted podrá emplear estas nuevas habilidades en cualquier área de su vida. *¡Recuerde que las personas difíciles están en todos lados!*

Ahora que usted ha reconocido algunos tipos familiares, estas preguntas le deben ayudar a pensar en más, detalladamente.

Preguntas

1. ¿Conoce a alguien que sea un Líder? ¿Una Ejecutiva? ¿Un Analista? ¿Una Comunicadora? ¿Un Forastero? ¿A quién?

2. ¿Qué tiene esa persona que lo hizo pensar en ella como este tipo?

3. ¿Qué siente por ella o él?

4. ¿Cómo se lleva o se llevó con esta persona? ¿Por qué funcionó o por qué no? ¿Qué faltó? ¿Usted hizo que funcionara o fue la otra persona?

5. ¿Qué le gustaría cambiar de ella o de él?

6. ¿Alguno de estos tipos le recuerdan a sí mismo? ¿Cuáles? ¿Por qué?

7. ¿Es esto solamente en el trabajo o en el resto de su vida?

8. Si usted pudiera cambiar cualquier cosa que no le gusta de alguna de estas personas, y usted supiera que funcionaría, ¿qué cambiaría?

9. ¿Qué más ha aprendido acerca de las personas difíciles en el trabajo?

Recuerde:

Con una persona difícl en el trabajo, algunas veces, usted tiene que detenerse para poder avanzar.

CAPITULO 4

Consortes difíciles

Los matrimonios difíciles comienzan, como toda relación, cuando do
personas se atraen y sólo quieren ver lo bueno en el otro. En las etapa
tempranas del romance, insistimos en idealizar a nuestra pareja, viéndol
de manera superficial. Por ejemplo, la mujer le dice a su amiga:

- *Deberías ver lo bien que baila... Tendría que estar loca para n
  casarme con un hombre así. ¡Si no lo atrapo, alguien más lo hará! S
  que bebe y no tiene un trabajo fijo, pero yo haré que deje de beber. E
  amor conquista todo... Lo único que él necesita es amor... En cuant
  al trabajo, sólo necesita que alguien lo motive.*

Un año después ella llora:

- *De todos los millones de hombres en el mundo, ¿Por qué tuve qu
  escogerlo? ¡Ya no soporto más vivir con él!*

Al mismo tiempo, el esposo se queja con su mejor amigo:

- *No sé qué le pasa a Patricia. ¡Era tan distinta cuando nos casamo*

En este caso la mujer vio defectos grandes en su hombre, pero los tomó como menores, fáciles de cambiar. *¡La verdad era que un cambio como ése requeriría un milagro!* Todos esos detalles románticos que confundieron sus estándares usuales pronto se desvanecieron. Ahora ella ha despertado a la realidad del hombre que desposó.

¡Y ella no es la única!

Todos ignoramos la realidad. Todos tratamos de ver las cosas de maneras más placenteras, más convenientes. Este proceso de percepción selectiva nos detiene de ver cualquier cosa que nos disguste, hasta que estamos profundamente involucrados.

Pero entre más grande es la ilusión, más grande es la decepción.

Según se desenvuelve el drama, el desencanto lleva a cada consorte a pensar que el otro ha cambiado. El aparente esposo amoroso "ya no me ama" o "ya no es lo que era". O "ella ha perdido su encanto". Estos cambios nunca son repentinos, pero siempre nos sorprendemos. Nunca vimos las pistas. *O no queríamos verlas.* Al final de la historia, simplemente no sabemos qué hacer.

En cualquier situación como ésta, ambas partes tienen que recordar que todos, como seres humanos, somos imperfectos. En situaciones intensas de estrés, vemos las fallas de nuestra pareja - y ellos ven las nuestras - mucho más claramente.

Pero hay una explicación más importante: con el paso del tiempo, la gente cambia. Lo que una vez fue una ventaja o algo muy atractivo, puede ya no serlo. Y como las personas van cambiando...

Cambian sus expectativas.

Cambian sus necesidades.

Cambian sus hábitos.

Cambia su percepción.

Todo cambia con el tiempo...

Pero nuestra naturaleza humana nos aparta de la perfección. Es un ideal, no una realidad. Cuando finalmente comprendemos esto, podemos pasar a la regla más importante para lidiar con una persona difícil:

En este mundo imperfecto, debemos aprender a vivir con las debilidades de aquellos a nuestro alrededor.

Simplemente el aceptar el lado humano en los demás es el primer paso hacia construir una relación mejor. Recuerde, la alternativa es el aislamiento. Considere una analogía. Cuando va al dentista y le tapan una muela, algo se siente raro, irritante. Pero en unos cuantos días ya ha olvidado que el relleno está ahí. Es una muela entre otras más: usted la ha aceptado.

Lo mismo sucede con tantas crisis humanas, con nuestra familia, compañeros de trabajo, vecinos. Las relaciones de la gente experimentan pequeños cambios y grandes transformaciones. Algunas veces el "nuevo relleno" no encaja, y se da una ruptura mayor en las relaciones. Pero más frecuentemente, con suficiente paciencia y tiempo, incorporamos y aceptamos esos cambios.

En este capítulo, le ofrecemos maneras de aceptar esos cambios en su vida, especialmente con los de su pareja difícil.

También lo alentamos a que considere la posibilidad de que usted mismo quizá sea un consorte difícil. *En ocasiones todos somos difíciles*; la clave es reconocer y comprender lo que es difícil y por qué, y encontrar formas de solucionar esos problemas. Si descubre a una persona difícil en su casa, no se desespere. Hay maneras de hacerle frente. Este capítulo está lleno de ellas.

Perfiles de los consortes difíciles

En nuestra práctica hemos conocido un amplia gama de personas difíciles. Los siete tipos de parejas que describimos aquí son los más comunes. Como dijimos en el capítulo anterior, cualquier persona que encontramos puede ser una mezcla de estos géneros, y puede fácilmente ser masculino o femenino. Así que alternamos ellos y ellas, mientras lo invitamos a pensar acerca del tipo con el que podría estar viviendo.

La Dependiente

Rosa se había "pegado" literalmente a Ernesto. Tanto, que lo tenía harto. No podía dar un paso sin pedir su consentimiento, y en varias ocasiones lo había interrumpido a media junta con clientes importantes solamente para preguntarle si se ponía el vestido gris o el azul para la fiesta del viernes por la noche.

Ernesto le prohibió que le llamara al celular. Pero ella insistió. Las cosas se complicaron al grado de que él, al borde de la desesperación, canceló su línea telefónica del momento y contrató otra con un número confidencial que por supuesto nunca le dio.

Como Rosa, la Dependiente busca un cónyuge que esté dispuesto a tomar todas las decisiones por ella. Naturalmente, una vez que encuentra tal relación, se aferrará a ella ya que toda su forma de vida está basada en la dependencia. ***Su mayor temor es ser dejada a un lado por el borde del camino.*** Entre más se cuelga, más se resiste él, y más dependiente se vuelve ella. Es un círculo que no tiene fin.

Tal vez pueda tratar de esconder su dependencia actuando como si estuviera muy clara y segura en sus creencias y decisiones. Sólo en las crisis saldrá a la superficie su inseguridad en todo su esplendor:

- *¡No me dejes, Rogelio! ¿No ves que no puedo vivir sin ti?*

- *¡Espera, no te vayas! Seré lo que tú quieres que sea...*

- *Preferiría no ir. Si tú no vas... ¿Qué haría yo sola?*

- *¿Qué opinas? ¿Estará bien que vaya a la fiesta aun cuando no fui invitada?*

- *Tal vez debería checarlo primero con Mary.*

Las personas muy dependientes son frecuentemente celosas. Necesitan constante reafirmación de que su pareja las ama y las considera en toda decisión. También tienden a quejarse y a exigir mucho, para obtener más atención.

Para vivir con una Dependiente, usted tendrá que:

1. Apoyarla. Trate de comprender sus inseguridades. Constantemente diga cosas que la hagan sentir segura.

2. Demuestre su amor. Exprese afecto por su pareja.

3. Sea paciente y comprensivo. Ella necesita desesperadamente su atención y su compromiso. Así que dense la oportunidad de pasar bastante tiempo juntos.

4. Sea objetivo. No la culpe a ella o se culpe usted cuando surjan problemas. Trate de entender las situaciones que enfrenta; analice cómo son en realidad.

5. Acepte las cosas. Las diferencias surgirán, aun cuando usted no las espere. Si puede ser abierto y flexible, será posible encontrar intereses comunes y vivir en paz.

A su tiempo, en tanto que la Dependiente se va sintiendo más segura en su amor, su comportamiento comenzará a cambiar otra vez.

El Asustadizo

En nuevas situaciones, el Asustadizo teme el rechazo o hasta las bromas. *Es tan inseguro que es de una rigidez abrumadora para relacionarse emocionalmente con otras personas.* Nunca ha aprendido a manejar su miedo hacia otros.

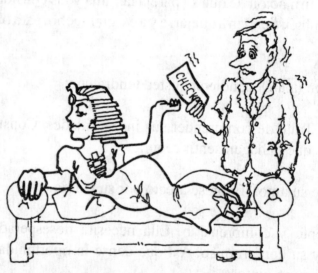

Por lo tanto evita el contacto social para no correr el riesgo del rechazo. Frecuentemente su miedo es malinterpretado como rudeza o arrogancia. Tiende a decir cosas como éstas:

- *¿Por qué no nos quedamos en casa? ¿Qué tal si no le agrado a tu jefe?*

- *Hagámoslo en otra ocasión. No me siento bien.*

- *No, no creo poder hacer eso. Es mejor que ni siquiera lo intente.*

Los Asustadizos se vuelven expertos en inventar excusas, en hacer demorar a otros y en hacer que éstos tomen sus decisiones personales por ellos. Pero cuando alguien trata de dar excusas por él, el Asustadizo eventualmente lo resiente.

La familia y amigos de este tipo de persona difícil siempre ven qué tan importante es alentarlos: *¡ellos están gastando tanto potencial y talento!*... Si usted vive con alguien así, estas situaciones le parecerán familiares:

• Usted está listo para irse a una fiesta, pero su consorte todavía se está arreglando, probándose una corbata diferente, una camisa nueva, buscando desesperadamente una imagen aceptable.

• En la fiesta, estará silencioso, guardándose todo para sí mismo porque está aterrado por tener que socializar.

• Evadirá responsabilidad: él no puede encontrar valor para cambiar de trabajo, pedir un aumento, u ofrecerse para ayudar en un proyecto.

Si usted vive con un Asustadizo, he aquí qué hacer:

1. Aliéntelo constantemente, pero no lo fuerce a tomar nuevos retos. No haga las cosas por él. Recuerde que usted no es su madre ni su padre, sino su cónyuge.

2. Apoye y reafirme sus decisiones.

3. Siempre aproxímese a él con amor y comprensión y sea realista en la manera como enfoca los problemas.

4. Sugiera actividades nuevas no amenazadoras que puedan hacer juntos y disfrutar.

A su tiempo, su apoyo y aliento pueden ayudarlo a desarrollar su auto estima. Cuando vea lo que puede lograr con su ayuda, estará agradecido. Pero él debe de enfrentar sus temores.

La Perfeccionista

La Perfeccionista se pasa la vida tratando de tener control sobre cada detalle con el propósito de mantener su ansiedad en un nivel que pueda tolerar. Se siente cómoda en las tareas repetidas hasta que todo le sale perfecto. Por lo tanto gasta mucho de su tiempo en detalles insignificantes:

- *Déjame revisar el artículo otra vez. Hay dos o tres palabras que no me gustan en él.*

- *¿Tienes un trapo para limpiar? Hay un poco de polvo aquí.*

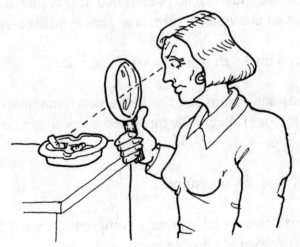

- *Prefiero pasar más tiempo haciéndolo bien en vez de tener que hacerlo de nuevo porque no se logró correctamente la primera vez.*

- *¿Por qué lavaste mi blusa amarilla con la ropa blanca? Sabes que me gusta tener todo organizado por colores.*

- *No tires esos papeles. ¡Tan sólo son de hace diez años! Quizá podamos necesitarlos.*

Con este caso, tal parece que estoy viendo a Claudia, una mujer joven que llevó a tal grado su afán por ser perfecta, que terminó costándole su matrimonio. Puso su negocio de confección de uniformes secretariales, el cual ha conducido al éxito, pero a la fecha sus empleados están renunciando porque no la soportan más. Ha llegado al punto que ya no sabe qué hacer ni consigo misma.

La Perfeccionista necesita guardar su distancia emocional de las personas a su alrededor, con el propósito de mantener el control. Ya que no puede tolerar fallas, no permitirá que nadie dude de ella o la cuestione. Cuando alguien lo hace, cuestiona sus propios valores y eso la destruye.

Si usted se está preguntando si la persona que vive con usted es una Perfeccionista, evidencias como éstas lo confirmarán:

- Su compulsión por la limpieza la lleva a limpiar constantemente las suelas de sus zapatos, los cuadros de las paredes... Todo lo que pueda.

- Si se presenta la oportunidad, le asigna a cada cosa un lugar, por tamaño y por forma. Usted no tiene que preocuparse por artículos mal colocados en su hogar. En él se encontrarán tijeras grandes, medianas y pequeñas; los clips, el cortauñas... Y todo lo que usted recuerde haber tenido, estará meticulosamente ordenado y clasificado.

- Siempre está en alerta roja sobre su guardarropa; ninguna arruga, todo perfectamente arreglado, impecable e inmaculado. El removedor de manchas duerme con ella bajo su almohada.

- Mientras tanto, la ropa en el closet está perfectamente alineada por color y estilo. *¡Nunca mezcla la ropa de verano con la de invierno!* Usted tal vez reciba interminables explicaciones del por qué de ese tabú.

Si sucede que se encuentra compartiendo su vida con una Perfeccionista, puede hacerlo exitosamente si sigue estas pautas al pie de la letra.

1. Sobre todo, tenga paciencia, para que no se sienta abrumada por sus demandas escrupulosas y necesidad de precisión.

2. Siempre recuérdele su amor y lealtad. No olvide que ella necesita mucho de esto, aun cuando pueda parecer lo contrario.

3. Tome sus declaraciones como sugerencias flexibles, no como órdenes a seguir literalmente. De ese modo podrá relajarse un poco.

4. Permítale organizar sus propios espacios y horario con tanto detalle como sea necesario.

5. Antes de sugerir cualquier idea o proyecto, piénselo con cuidado para que ella no pueda rechazarlo inmediatamente.

6. Saque ventaja de vivir con una Perfeccionista. Después de todo, su vida está muy organizada ahora: siempre puede encontrar cosas, y nunca olvida ni pierde citas. Busque maneras de cooperar con su estilo y necesidades, y logre un balance entre las suyas y las de ella.

7. Enséñele a disfrutar la vida y a aceptar pequeños errores. Por ejemplo, logre que baile o cante; o a divertirse entre otra gente que comete errores y aún disfruta.

El Yo Primero

Este tipo está seguro de que no tiene faltas de ningún tipo. No podrían importarle menos las opiniones de las otras personas o el efecto que él tiene en ellas. Obtiene enorme placer de sus actividades cotidianas, porque se siente superior a todos los demás.

Al mismo tiempo, necesita a la gente para que alimente su ego constantemente, para alabarlo y halagarlo, confirmando su superioridad.

Puede ser muy fácil de identificar por su competitividad. *Siempre quiere destacar de la multitud.* Se llama a sí mismo el tomador de riesgos pero de hecho sólo los tomará si va a ganar mucho. Aún así, la gente es atraída por él debido a que es ambicioso y enérgico, y logra hacer mucho; *¡constantemente lleva a sus socios hacia aventuras interesantes!*

Debido a que el mundo gira a su alrededor, no está interesado en lo que otras personas piensen, digan o sientan por él. Si encuentra que alguien es interesante, es sólo porque esa persona confirma sus propias creencias y puede ayudarlo a obtener lo que quiere. Aun cuando esté rodeado de gente, siempre está solo por dentro, porque no puede compartirse o darse. Para mantener seguro su pequeño reino, se rodea de gente que pueda satisfacer sus necesidades diarias:

- *Te ayudaré pero, ¿qué hay para mí?*

- *Ya me conoces, siempre sé cómo sacarle la verdad.*

- *Dile que aceptas y después...¡sácale todo lo que puedas!*

Pero su poderosa imagen de autoseguridad se resquebraja ante la primera mención de sus fallas. No puede tolerar las críticas y se tornará hostil y defensivo. Es muy difícil señalarle un problema porque nunca está dispuesto a escuchar. No puede imaginar que causa problemas, y no puede lograr preocuparse por los de otras personas.

Por tanto cuando alguien - pareja, hijo o amigo - trata de explicarle un problema, les informará abruptamente que se quejan demasiado y que están equivocados. El Yo Primero es experto en defender su propio orgullo y se resistirá a cualquier intento de cambiar su posición: eso significaría admitir la posibilidad de un error, lo cual su ego jamás permitirá.

El Yo Primero no es muy divertido como pareja: nunca piensa en nadie más que en sí mismo y no puede reconocer sus fallas. Al mismo tiempo, quiere que su consorte, niños y amigos estén listos y dispuestos a satisfacer cada uno de sus caprichos.

Si usted es tan privilegiado de vivir con el Yo Primero, no se sorprenda si sigue hablando de su trabajo una vez que regresa a casa. Cuando termina de hablar se encerrará en el desván a leer o a ver la televisión sin darle la oportunidad a nadie de decir alguna palabra.

Su Yo Primero tendrá pasatiempos o actividades sociales que nunca se pierde. Si se atreve, pídale que pase tiempo con usted en lugar de eso.

He aquí algunas habilidades especiales para comunicarse con un Yo Primero.

1. Cuando necesite algo, escoja un lugar y ocasión para hacerlo, y declare sus necesidades con calma y objetivamente.

2. Cuando esté en desacuerdo con él (lo cual sucederá a menudo), déjele saber claramente que no está actuando en contra de su voluntad, ni tratando de competir con su indiscutible superioridad, sino que simplemente le gustaría que considerara su otro punto de vista menos brillante. Esté dispuesto a ofrecer alternativas que le interesen. Déjelo creer que la decisión, así como las ideas, son suyas. Después trate de establecer algunas metas a mediano plazo.

3. Utilice su sentido del humor. Esta es una buena forma de desarmar a una persona difícil, porque no puede interpretarla como competitiva.

La Despilfarradora

Gloria se daba vida de millonaria. Las crisis en su matrimonio empeoraban la situación: cada una de éstas provocaba que ella se dirigiera a los almacenes más caros a atiborrarse de ropa de la más cara. Y no sólo eso; perfumes, collares, aretes, tacones, bolsas, batas de seda, y demás sumaban cuentas estratosféricas que Mario - otra vez el pobre Mario - tendría que pagar.

Este tipo de persona difícil utiliza el dinero para calmar sus ansiedades, las cuales fluctúan de acuerdo a presiones internas y externas. Usted al verla sabrá qué tan angustiada está de acuerdo a cuánto gasta.

Generalmente gasta más de lo que tiene, porque no sabe cómo establecer sus límites; por lo tanto se ve enredada en una maraña de deudas. Cuando alguien la fuerza a reconocer su situación financiera, generalmente culpa a circunstancias más allá de su control tales como la compañía de tarjetas de crédito o la economía internacional.

La Despilfarradora usa el dinero para comprar afecto, complaciéndose en regalos costosos que no puede pagar. También utiliza el dinero para comprar cosas, no porque las necesite, sino para confirmar su poder y manipular a otros:

- *Cárguelo. Lo arreglaremos cuando llegue la cuenta a casa.*

- *No agradeces cuando te compro cosas. Es verdad que estamos un poco atrasados... Pero no me digas que no querías un nuevo equipo de sonido.*

- *En realidad no necesitábamos la nueva vajilla, pero de todas formas la compré. Esa ganga era la oportunidad de mi vida.*

- *Tendremos que conseguir un préstamo. No quiero que parezca que siempre tengo que usar la misma ropa vieja porque no podemos comprar nueva. ¿Quieres que ellos piensen que tengo un esposo que no puede mantener a su familia?*

En caso de que no reconozca a una Despilfarradora de inmediato, aquí hay más claves:

- Será la orgullosa dueña de un reloj parlante, la última y más costosa novedad en el mercado. Y si no hay nada de comer en casa, no se preocupe, el reloj puede darle algunas palabras de consuelo.

- Es una gastadora compulsiva: compra y compra hasta que cada pulgada de su casa está atestada de cachivaches. Usted podría pasarse días tratando de adivinar para qué sirven todas esas cosas. Pero ni aun con todo lo que ha gastado, hay dinero suficiente para ella. Nunca.

El Tacaño

El Tacaño necesita acumular, proteger y ahorrar, ahorrar, ahorrar y ahorrar en su cuenta de banco. Entre más tiene, más quiere tener. Entre menos gasta, menos quiere gastar.

Su razón de ser es tan simple como mísera: contar, recontar y después contar otra vez. Sus inversiones y propiedades frecuentemente lo mantienen despierto hasta altas horas de la noche. Supervisa sus proyectos para hacer dinero y echa fuera cualquier error en las ventas que cae en sus manos para poder hacer sus propios inventarios y balances.

Al mismo tiempo, se queja amargamente de sus gastos. Odia tener que pagar sus cuentas de luz o de teléfono, y especialmente sus impuestos. Hasta le incomoda tener que desembolsar para la lavandería y estacionamiento. Piensa que los doctores y las universidades deberían prestar sus servicios gratuitamente.

En resumen: el Tacaño quiere vivir sin tener que gastar un centavo. Con el paso del tiempo, se convence de que necesita ahorrar más y más; y de ser posible, más que eso...

- *¿Ir al cine? ¿Por qué crees que tenemos una videocasetera?*

- *Sólo dame tiempo para arreglarlo, no necesitamos un nuevo aire acondicionado. ¡Este todavía está bueno! Es sólo la tercera vez que se descompone en este año.*

- *¿Comprar un regalo? ¡Por supuesto que no! Es sólo su cumpleaños. Llámale. Eso es más que suficiente.*

- *Lo compraremos después. Ahora no tengo el dinero.*

Para el Tacaño, el dinero es una forma de compensar lo que ha perdido. Aunque parezca contradictorio, siempre compra cosas debido a su deseo de ahorrar, especialmente cuando encuentra ofertas o ventas de remate en las que puede probar su habilidad para obtener una oferta. Entre más compra, más piensa que está ahorrando.

Además, los Tacaños tienden a formar sociedades con otros tacaños para compartir su interés común en ahorrar dinero. Ignorando su vaciedad interior, necesitan amasar más y más. El resquicio donde debería estar su autoestima es como un abismo negro.

Si usted está casada con un Tacaño, esté preparada para guardar todos sus recibos incluyendo los de comida y gasolina. También debe tener una calculadora de bolsillo, para que pueda conocer el kilometraje de su auto. Y cada vez que tome un bocado de comida, calcule su costo. Y ya que está en eso, mantenga un registro de cuánto ahorró en todas las baratas para que pueda compararlo con el índice de costo de vida, la tasa de inflación nacional, y el actual precio del brócoli.

Si la lleva a almorzar fuera (nunca a cenar: eso cuesta demasiado) podrá escoger entre los restaurantes de "todo lo que pueda comer" y aquellos con los mejores especiales: cualquier lado donde pueda desayunar más por menos.

Para convivir bien ya sea con un Tacaño o con una Despilfarradora:

1. Trate de descubrir qué necesidad está cubriendo con dinero su persona difícil y después trate de llenar ese vacío.

2. Sea cálido y amoroso para reforzar su autoestima.

3. Muéstrele su amor abierta y sinceramente, para que él o ella no tengan

que usar el dinero para conseguir su atención o aprecio.

4. Sea paciente y tolerante cuando hable de dinero. Establezca un acuerdo de que van a trabajar en las cuestiones de dinero juntos. Después trate de establecer pautas para administrar el ingreso familiar.

5. Manténgase en su posición sobre cualquier acuerdo que logre establecer acerca del dinero, para que su pareja entienda la presión y se incline a la decisión que usted haya tomado.

La Doña Juanita

La ropa de Doña Juanita es llamativa y provocativa; es como si gritara *"¡Ya llegué!"* Al igual que su ropa, su lenguaje corporal y sus gestos son sensuales y cargados, listos para atraer la atención de cualquier hombre en la mira. Don Juan, su contraparte masculina, no depende tanto de la ropa para hacerse atractivo; junto con su encantadora personalidad, gana mucho terreno con su cartera - enorme cartera. Con la práctica que tienen, les toma muy poco esfuerzo para ganarse el corazón de alguien, trazando una y otra vez las líneas conocidas y el encanto que perfeccionaron hace años.

Personas como éstas tratan de cubrir sus inseguridades mostrando cuán populares son, y una forma sencilla de probarlo es coqueteando y teniendo aventuras. *Necesitan estar rodeadas de admiradores.* Así que ambos, Don Juanes y Doñas Juanitas pasan mucho tiempo pensando en formas para relacionarse con el sexo opuesto:

- *No te molestes en venir ahora mismo a mi oficina, Jenny.*
  ¿Qué te parece si discutimos todo esto en el almuerzo?

100

- ¡Oh, Tony! De verdad no creo que el escote de este vestido sea muy pronunciado. De cualquier forma sólo vamos a salir con unos amigos. ¿Cuál es la diferencia?

- ¡Deveras que Catalina luce bien! Sólo dame unos cuantos días y será mía...

- El viejo truco de la basura en mi ojo me hará llegar lo suficientemente cerca para besar a Tom. Tengo curiosidad de saber cómo reaccionará.

- Mi esposo dice que tengo bonitas piernas. ¿Tú que opinas, Ray?

El lado positivo de este tipo es que son muy divertidos de tener cerca. Son considerados, amigables y les gusta escuchar. Y están muy dispuestos a ayudar, de muchas formas. Sólo pasa que la mayoría de las personas de quienes necesitan tan desesperadamente atención son del sexo opuesto. Pero siempre pueden explicar por qué son tan solicitados.

Ya que necesitan tanta aceptación, ninguna conquista los satisface durante mucho tiempo; comenzar otra vez la búsqueda de alguien los hace sentir apreciados permanentemente. Si usted está relacionado con alguien así, puede ser muy doloroso. Cuando sale a cenar con un Don Juan, tiene que estar preparada para verlo coquetear con la mesera, y verlo mirar a cuanta mujer entra en el restaurante. Pero no importa: usted tiene la seguridad de irse a su casa con él después de la cena. O si va a una fiesta con Doña Juanita, tendrá que esperar su turno para bailar con ella, después de que haya bailado con todos los demás. Pero no se desespere: usted tendrá una compañera de baile excelente.

Para vivir con este tipo:

1. Desarrolle su propia seguridad en sí mismo, y recuerde que no intenta herirlo. Todo ese jugueteo es parte de la incesante necesidad de ser aceptada, una necesidad tan fuerte que está más allá de su control.

2. Valore otros aspectos de la relación. Recuerde que usted se casó con esta persona por todo el encanto, generosidad, conversación y buenos momentos. Es suya. Siga disfrutándola.

3. Déle a su pareja mucho tiempo, paciencia, y seguridad, lo cual puede ayudarla a comprometerse con usted y a sobreponerse a los encuentros fugaces. Recuerde que lo que más necesita ella o él es su aceptación y disponibilidad de comunicarse.

En Síntesis

Creemos que las personas difíciles pueden aprender a vivir juntas felizmente. Pero dos cosas son esenciales: tenemos que aprender a vernos como nos ven los demás, y después a reconocer y aceptar nuestra propias fallas, tanto como somos capaces de verlas en los demás.

Cotidianamente, vivir con una persona difícil requiere que usted siempre trate de comprender, negociar y hablar. No olvide que la atención negativa en la niñez es lo que hizo difícil a su persona difícil en primer lugar. (Veremos más de esto en el capítulo 7.) Lo que funciona mejor es tratar de buscar el terreno neutral y una especie de armonía. Y felicítese a usted mismo por cada pequeño acuerdo, porque cada acuerdo es la base de una mejor relación.

Preguntas

1. *¿Conoce usted a alguien que sea una Dependiente? ¿Un Asustadizo? ¿Una Perfeccionista? ¿Un Yo Primero? ¿Una Despilfarradora? ¿Un Tacaño? ¿Una Doña Juanita? Si es así, ¿quién?*

2. *¿Qué es lo que lo hizo pensar en ellos como este tipo?*

3. *¿Cómo se siente al respecto él o ella?*

4. *¿Cómo cree que sería estar casado con uno de estos tipos?*

5. *¿Conoce a alguien que lo esté?*

6. *¿Qué tal su matrimonio? ¿Encajan usted o su pareja en alguno de estos tipos?*

7. *¿Cómo es? ¿Qué es lo bueno y lo malo de ello?*

8. *Si pudiese cambiar algo que le disgusta de una de estas personas, y estuviese seguro de que funcionaría, ¿qué cambiaría?*

Recuerde:

Es posible vivir y disfrutar con una persona difícil.

CAPITULO 5

Matrimonios difíciles

Un día nuestra asistente María entró corriendo a la oficina, jadeando y gritando que era necesario que saliéramos de inmediato. Ante su insistencia, y a pesar de lo ocupados que estábamos, nos dirigimos hacia donde ella nos indicó.

Afuera, en el estacionamiento, encontramos a Agustín y a Diana dentro de su automóvil. Ella golpeaba a su esposo con el zapato y él le jalaba atrozmente el cabello mientras la cacheteaba con gran fuerza.

- *¡Eres un estúpido cretino! ¿Por qué diablos me casé contigo? ¡Mi madre tenía razón!*

- *¡Tu madre! Eres exactamente como ella - frígida y cruel - y ni siquiera sabes hacer un huevo apetecible. No creo que seas una mujer. ¡Te detesto!*

- *¿Yo soy cruel? ¿Y qué hay de tu amorío con Carolina? ¿Estabas tratando de sentir como el hombre que nunca fuiste? Igualito a tu padre. Y mira lo que le estás haciendo a tu hijo - ni siquiera puede estar con la misma chica por cinco minutos.*

¿Qué es lo que lleva a la gente a pelear de esta manera? ¿Qué es lo que convierte a las personas que son encantadoras en parejas difíciles? ¿Y qué es lo que hacemos una vez que estamos con una pareja difícil? Tenemos respuestas a todas estas preguntas - y más - en este capítulo. Primero, veamos el dilema básico del matrimonio.

El matrimonio es una proposición muy difícil cuando se piensa en ella: cada cónyuge tiene sus propios y distintos valores, creencias y hábitos. Cada uno, también, tiene un conjunto de patrones de conducta inconsciente que provienen de sus experiencias en la niñez, como lo explicamos en el Capítulo 1. En la intimidad del matrimonio, estos patrones pueden llevarnos a todo tipo de conductas negativas y conflictos, cuando de pronto, la pareja ve las contradicciones entre:

Lo que un cónyuge está haciendo,

Lo que cree que está haciendo, y

Lo que la otra persona cree que está haciendo.

La diferencia entre estas tres cosas es ocasionada por los mecanismos de defensa de cada persona: esas formas de explicarnos las cosas a nosotros mismos y que vemos como la verdad absoluta.

Estos patrones se dan todo el tiempo en los matrimonios. El muchacho joven que a menudo era puesto en situaciones que le causaban celos, se convierte en un marido celoso. O tal vez aprendió que al mostrarse celoso podría obtener lo que necesitaba. En cualquier caso, ahora él no está dispuesto a admitir sus celos. En una situación típica, podría decir:

- *¿Te vas a ir vestida así? ¿No crees que ese vestido es muy corto? No es que sea celoso, sólo es que ese estilo no me gusta.*

Pero si a alguien se le ocurre enfatizar que los celos son la raíz del problema, este hombre hará lo imposible por negarlo.

Y qué del marido tacaño que no lo admitiría:

- *Te llevaré a cualquier lugar que quieras para tu cumpleaños, solamente di a dónde... Pero, ¿a ese restaurante? ¿Por qué siempre tienes qué escoger el más caro?*

El aprendió en la niñez que reteniendo el dinero se sentía más seguro, por lo que sigue haciéndolo. Así, hay otra clase de esposo tacaño quien tratará de sacar provecho de cualquier situación:

- *¡Me da gusto que te agrade el procesador de comida, porque ese es tu regalo de cumpleaños, de día de las madres, de Navidad y de nuestro aniversario!*

Es igualmente común para una mujer como para un hombre negar lo que realmente sienten. Por ejemplo, la esposa que no quiere hacer un mandado para su esposo, nunca tratará de realizarlo:

- *¡Ay! Es que soy tan olvidadiza...*

La mujer que está harta de las insistencias sexuales inadecuadas de su pareja, dirá:

- *Esta noche no, querido. ¡Tengo jaqueca!*

La mujer que se casó para nunca tener que trabajar otra vez diría:

- *¡Esperaba vivir como una reina, pero creo que me equivoqué!*

Al mismo tiempo, muchas de estas mujeres se quejan de dolores y males, la falta de comprensión de sus esposos, y de cuan hartas están de la vida. Mientras tanto, sus maridos están fuera bebiendo, jugando en apuestas o tirando en otras el dinero del gasto. Pero ninguna de las dos personas admitirá lo que realmente sucede. Si alguien les señalase sus acciones, estas personas inmediatamente se justificarían a sí mismas con las "verdades absolutas" que mencionamos anteriormente.

En suma, creemos que cualquier problema compartido por la pareja es un fenómeno natural. Después de todo, una pareja está constituida por dos personas distintas que tienen diferentes juegos de valores y que tienen que adaptarse a los gustos y disgustos, horarios, trabajos, sexualidad y expectativas sobre las obligaciones familiares del otro. Es bastante difícil el llevarse bien en situaciones cotidianas; pero lo es aún más cuando se presentan acontecimientos inusuales.

Ahora compartiremos con usted algunas de las formas en las cuales las parejas se tornan en personas difíciles para su consorte. Aunque los matrimonios tienen otros tipos de problemas, hemos encontrado que éstos son los más comunes. A medida que vaya leyendo, note cuáles se le hacen familiares.

La Pareja Incomunicada

Esta pareja nunca puede establecer líneas de comunicación entre sí, no importa cuan duro traten. Aun cuando no se peleen, no se comunican bien. Al irse separando, cada uno se dedica cada vez más a sus propios intereses, desde los niños, las reparaciones del hogar, hasta las actividades comunitarias.

Esta podría ser la historia de Josefina y Manuel. Cuando eran novios, su comunicación era mucho más efectiva que ahora, cuando están sintiendo un bloque de hielo entre ellos. Manuel está muy deprimido, y su estado de ánimo ha empezado a interferir en su trabajo a tal grado, que su jefe le ha puesto un ultimátum.

Pero por más que lo intenta, **no puede** comunicarse con Josefina, que ha cambiado su cama al cuarto de visitas para no tener que dormir con él: parecen dos extraños condenados a vivir bajo el mismo techo, pero sin interrelacionarse.

El otro día, un compañero de Manuel lo encontró trabajando muy tarde en su oficina. El había ido a recoger unas llaves que había olvidado:

- *¿Todavía estás aquí? ¿Por qué estás trabajando hasta tan tarde si no hay nada pendiente?*

- *No quiero llegar a la casa hasta que Josefina se duerma. Así no tendré que hablar con ella.*

Cuando la comunicación diaria entre la pareja es desconectada, cada una de las partes crea un mundo personal de fantasía. El esposo puede hundirse en profundas inseguridades, que se fortalecen día a día formando un escudo psicológico. Mientras esto sucede, la esposa puede suponer que ya no le importa a su consorte; pero la realidad es que él se siente completamente abandonado. En esta situación, cualquier cónyuge puede verse comprometido en relaciones extramaritales para aminorar los sentimientos de aislamiento y soledad, *los cuales podrían ser liberados con una sola palabra* - perdóname, te quiero, me equivoqué...-. Sin embargo, llenos de resentimiento, evaden la realidad y lo peor, se evaden el uno al otro.

Es también duro para cada cónyuge saber lo que de hecho están sintiendo ella o él. Ambos empiezan a vivir ajenos a sí mismos, cuando a lo que en realidad tienen miedo es a ser rechazados o abandonados. Así que continúan comunicándose de manera superficial sosteniendo conversaciones intranscendentes sobre las noticias de la tarde, el clima, la economía, pero teniendo un gran cuidado de no hablar de su ser interior.

Los miembros de la pareja incomunicada llegan a sentirse solitarios y aburridos. Se ignoran mutuamente, sintiéndose más solos, más aislados y más abandonados cada día.

Poco a poco su amor pierde su brillo hasta que se transforma en bruma, en una total neblina que lo confunde todo.

Ambos se sienten también intranquilos y atrapados, y esta situación - extrañamente - puede continuar durante años.

Si usted se encuentra en este tipo de vida, no se desespere.
¡Tiene algunas alternativas!

1. Encuentre el momento y lugar adecuados para una conversación que sea diferente de las usuales en el trabajo o en el hogar.

2. Muestre interés de lo que su pareja hace en su "mundo privado".

3. Alcance a su pareja a través de esos intereses en común que los acercaron en primera instancia, o en algunos nuevos que usted descubra.

Luego de que usted abra de nueva cuenta las líneas de comunicación, trate de compartir estos intereses y a un nivel más profundo de lo que antes lo hacía.

La Pareja Contenciosa

Esta pareja se comunica exclusivamente a través de peleas, ya sea para adquirir intimidad y seguridad o para probar al mundo que puede ganarle uno al otro aunque sea de manera negativa. Sin darse cuenta, inician peleas para ganar reconocimiento, siendo esto un "truco" aprendido en la niñez. Debido a que vieron a sus padres pelear tan seguido, aprendieron que las peleas equivalen al amor. Ahora, en la adultez, pelear parece ser la única forma de crear lazos duraderos.

Esta pareja generalmente no pelea por posesiones o por poder, sino como una forma de expresar el vínculo entre los dos. Siempre están teniendo

"Segunda luna de miel" y la intimidad que ganan a través de sus reconciliaciones, les permite decir: - Valió la pena pelear por esto; no hay nada como la reconciliación...

A través de semejante comportamiento, se prueban a sí mismos que los pleitos los acercan, como por arte de magia. Los motivos para pelear realmente no son importantes, ya que la idea es probar que "a pesar de todo, podemos seguir juntos".

¡Siempre hay maneras de ganar la guerra a las peleas!

1. A la primera señal de discusión, debe estar determinado a retractar sus emociones y tratar de averiguar la razón que causa la pelea.

2. Dejar a la otra persona decir todo lo que tenga que establecer - sin interrumpir. Escuche atentamente a medida que expresa sus motivos de queja y sentimientos.

3. Trate de llegar al fondo de cada pelea o malentendido. Establezcan claramente qué es lo que cada uno de ustedes necesita del otro. Discútanlo antes de pasar por la magia de la reconciliación.

4. Procure tiempo para la intimidad sin dejarse llevar por una riña. La meta para cada uno es disfrutar el lado positivo como pareja y no recurrir a peleas emocionalmente sobrecargadas para alcanzar la intimidad sexual. Ustedes como pareja, deben decidir *si pelear para amar o amar sin tener que pelear.*

La Pareja Lucha por el Poder

Viviana y Fernando viven así. Pelando cada vez más enconadamente con el fin de demostrar quien es el más poderoso y el que dice la última palabra. Sus encuentros parecieran no tener fin, y ya hasta están recurriendo a tretas muy pesadas para manifestar su poderío.

Vivi, como todos le decimos, se quedó a la mitad del camino al supermercado. Ella tiene una casa espléndida en las afueras, y una vez por semana, acude a hacer sus compras al centro de la ciudad, pero en esta ocasión, Fernando fue demasiado lejos: le descompuso el marcador de gasolina, y le vació casi todo el tanque.

Además, le sacó el dinero, la chequera y las tarjetas de crédito de la cartera...

La pareja lucha por el poder, como la de Viviana y Fernando, se mete en una prolongada lucha por el poder, y algunas veces pasan su vida entera ya sea en combates abiertos o velados. Pelean uno contra otro, ofreciendo y reclamando:

Dinero por poder,

Amor por poder,

y eventualmente, poder por poder.

Ninguno de los dos cónyuges se detiene a analizar la situación; cada uno se aferra a su propia versión de "la verdad", provocando intensos argumentos. Cada consorte ocupa cada momento del día planeando su estrategia de guerra contra el otro. Quieren hacerse enojar el uno al otro con el fin de mostrar quién es el que manda. Inician peleas arrebatando pertenencias, dinero y afecto.

- ¡El auto es mío!

- ¡Regrésame mis tarjetas de crédito!

- ¡Ya no te amo!

Ya que estas personas no tienen mucho control sobre sus propias emociones, se vuelven sospechosas. Cualquiera que esté ayudando a su cónyuge está tratando - según él o ella- de privarlos de algo o de dañar su relación de alguna forma. Y a menudo se vuelven muy manipuladores:

- Si sigues hablándome así, te voy a dejar. ¡Veremos cómo te las arreglas tú solo con los niños!

Pero de hecho, esta relación puede salvarse a través de sentido común. Aquí se muestra cómo:

1. Defina qué estrategias de guerra está usando; defina las metas de corto y largo plazo que cada uno tiene en la pelea y las razones que apoyan estas metas.

2. Haga su propósito de entender y llenar las necesidades de su pareja.

Cuando sea posible, escriba sus demandas y objeciones. Esto puede aclararlo todo.

3. Establezca límites de competencia entre los dos. Decidan por adelantado cuando es o no productivo estar en competencia. Después trabajen en aprender a compartir de tal forma que ambos puedan obtener lo que necesitan de la relación y de la vida.

La Pareja Enganchada a la Familia

Con el propósito de evadir la intimidad, esta pareja pasa todo su tiempo libre visitando o recibiendo en casa a sus parientes. Aún más, todas las decisiones que toma, deben ser aprobadas por la familia de uno o del otro.

Ambos cónyuges evitan hablar acerca de sí mismos y dejan que lo que les sucede a quienes les rodean llene cada rincón de sus vidas. Su profunda participación en los asuntos de sus familias les impide vivir sus propias vidas. Dejan escapar sus sueños, por ocuparse de cosas que no les atañen.

- *¿Qué tiene de malo que mi hermana no nos haya pagado? ¡Podemos conseguir otro préstamo!*

- *¡Que quede bien claro de una vez por todas!... Donde yo vivo, mi hermana, mi padre y toda mi familia pueden vivir también.*

- *No quiero firmar las escrituras del terreno hasta que lo vea papá.*

- *Esa sala me gusta, pero no la enganches hasta que traiga a mamá a la tienda y diga si le gusta.*

- No veo nada de malo en que mamá cocine para nosotros.

Abrumados por la familia, pierden su propia perspectiva. De hecho, algunas veces sus padres viven con ellos, pero aun cuando no estén ahí físicamente, están presentes en la relación, especialmente en el momento de tomar cualquier decisión importante.

A menudo la pareja no puede liberarse de la influencia de sus familias, porque siente que debe tomar a sus padres en cuenta, a riesgo de perderlos para siempre. Por miedo a ser "abandonados", necesitan seguir probando que aún tienen un sitio especial en su hogar de la infancia.

Si usted está en un matrimonio como éste, existen tres pasos obvios que puede tomar para salvar su relación:

. Aceptarse a sí mismos: es necesario tener su propio tiempo, espacio y vida familiar. Establecer límites en el tiempo que pasan con sus familiares y en las actividades sociales, es crucial.

. Reestructurar cada actividad de pareja de tal forma que coincidan, permitiéndose pasar tiempo juntos.

3. Encontrar formas de ser más tiernos y considerados, e intimar más entre ustedes. El equilibrio que pueden establecer entre el tiempo que pasen juntos y el tiempo con los demás, les permitirá hacer su matrimonio más feliz y satisfactorio.

La Pareja Salvador-Víctima

Esta pareja se forma de dos personas involucradas en una conspiración mientras que uno de ellos permanezca como víctima, el otro se alternará entre mostrar su abnegación y ejercer poder ilimitado. Esta conspiración es acerca de la omnipotencia. La parte salvadora puede dar todo y no esperar nada a cambio, excepto el sentimiento de sentirse indispensable. No importa qué pase, el salvador resolverá el problema.

Ricardo y Elena tienen diez años de casados. El ha tenido mucha suerte porque aunque ha jugado durante los últimos tres al esposo deprimido, Elena ha salido al quite y hasta le permite que no trabaje. *¡El pobrecito.* Está tan triste y se siente tan mal...

Ella lo resuelve todo, desde las enfermedades de los niños, crisis económicas, desperfectos de la casa, mientras Ricardo se pasa las tardes viendo televisión o jugando cartas con un vecino. Su trabajo es quejarse y repetir una y otra vez lo "malito" que está.

Elena no replica porque le gusta el papel: es la super mujer que salva a su hogar de la pobreza. Todo está en orden gracias a ella, y a lo mejor pronto Ricardo salga de su depresión con su ayuda.

En este tipo de casos, el esposo víctima no puede mantener un empleo estable, por lo que una compañera salvadora encontrará excusas por él. Ella perdonará todos los problemas que la inestabilidad de él le ocasiona.

debido a que necesita sentirse indispensable para justificar su propia existencia.

Mientras tanto, un marido salvador está convencido de que el buen funcionamiento de su hogar y la estabilidad de su familia es el resultado directo de lo que él le ofrece, aun si tiene que trabajar las 24 horas del día. Si las cosas van mal, se presionará más y más a sí mismo. Y como víctima, ama cada minuto de esto. De hecho, si su esposa está a menudo deprimida o enferma, él se encargará de todo y tratará de curar su enfermedad. Por lo tanto, las acciones del salvador lo harán sentir necesitado.

Debido a que son indispensables el uno al otro, los miembros de estas parejas tienden a estar muchos años juntos, a menos que la víctima empiece a hacer olas para acoplarse a la vida y no necesitar ya ser salvada.

Si usted está en este tipo de matrimonio difícil, puede cambiarlo.

1. Reconozca que cada uno de ustedes es responsable de su propia conducta y de su propia identidad.

2. Cree el espacio necesario para que cada uno haga lo que necesita hacer, por su propio bien.

3. Acepte a su pareja como es, completa, con todo y sus fallas, y déle espacio para crecer. Aliéntense para alcanzar metas deseadas a largo plazo y desarrollar más la autoestima.

En Síntesis

Existen muchas variaciones de estos cinco tipos de parejas, pero en cada una de ellas, un tipo de conducta siempre aparece más frecuentemente que las demás. Todas estas personas empezaron sus vidas juntas con todas sus ilusiones, ideales y mitos de los enamorados. Pero cuando se vieron incapaces de llenar sus sueños iniciales, *cambiaron*: sus vidas se volvieron rígidas, repetitivas y contradictorias, pero sin embargo, extrañamente confortables.

Si usted se reconoce a sí mismo en alguna de estas clases de parejas, no se culpe por los errores que ha cometido. Todos los cometemos. Lo que es importante ahora es cambiar, y usted ya ha visto las breves sugerencias que tenemos para cada pareja. En el Capítulo 8, compartiremos más detalladamente las técnicas que hemos descubierto para tratar con situaciones difíciles. Ahora es tiempo de poner el proceso en acción (si es que no lo ha hecho ya): hágase a sí mismo algunas preguntas honestas y escriba las respuestas. Esta experiencia no sólo será confortable y enriquecedora, sino ¡también será sorprendente!

Preguntas

1.   ¿Se identifica usted con alguna de estas parejas? ¿Con cuál (es)?

120

2.   ¿A quien le recuerda esta pareja?

3.   ¿Qué es lo que tiene que se le hace familiar?

4.   ¿Cómo se siente cuando piensa en ellas?

5.   ¿Qué le gustaría cambiar en su vida cuando piensa en ellas?

6.   ¿Cómo estos cambios mejorarán su vida?

7.   Si usted no ha pensado en su propio matrimonio, ¿estos tipos de parejas le recuerdan otra relación? ¿Cómo y por qué?

8.   Cuando piensa en su matrimonio, ¿qué ha perdido en términos de tiempo, dolor, dinero y trabajo? ¿Qué ha ganado? ¿Vale la pena cuando balancea todo?

9.   Si pudiera cambiar una cosa en su matrimonio y supiera que funcionaría, ¿qué sería?

Recuerde:

Las personas difíciles pueden ser felices juntas.

CAPITULO 6

Padres difíciles

Si las personas difíciles están en todas partes, no debe sorprendernos que muchas de ellas sean padres. En este capítulo, le presentaremos varios tipos de padres difíciles, por dos razones. Primero, entre más clases de padres difíciles conozca en este libro, mayor oportunidad tendrá de lidiar con sus propios padres. Además, queremos mostrarle cómo estos padres pasan sus patrones de comportamiento a sus hijos. El Capítulo 8 tiene más información al respecto, pero nosotros creemos que sería de ayuda empezar por ver cómo la gente difícil llegó a ser así - en interacción con sus padres -.

En este capítulo, le presentamos a la Waffler, al Huracán, a la Preocupona, así como a Peter Pan y Wendy y a Ponce de León y a su esposa. Al padre Ausente, al Adicto y a la Enciclopedia Andante. También encontrará aquí algunas figuras familiares, pero esta vez como padres: el Huracán, Don Juan y Doña Juanita y el Tacaño. Otra vez, todos estos tipos pueden darse en cualquier sexo.

La Waffler

La Waffler no sabe exactamente lo que quiere. ¡Ah! y le dice a sus hijos qué hacer, pero entonces ella hace exactamente lo opuesto. Su frase favorita puede ser: "Hagan lo que digo; no lo que hago". Por ejemplo, ella fuma, pero le pide a sus hijos que no lo hagan. O les reprime cuando mienten, pero ella dice:

- *Voy a tomar una siesta. Si alguien llama de mi oficina, digan que no estoy en casa.*

Se pone furiosa con su esposo y después, cuando los niños pelean, les reclama:

- ¡No se griten! ¿Por qué no se pueden llevar bien?

Aunque nunca es puntual, espera que sus hijos lo sean:

- ¡Apúrense y coman su desayuno! ¿Quieren perder el autobús?

Además, con frecuencia les dirá a sus hijos que hagan exactamente lo opuesto a lo que su esposo les pidió que hicieran cinco minutos antes.

En este tipo de familias, los niños aprenden rápidamente que no hay consistencia ni base moral a las declaraciones o peticiones de sus padres, así que es mejor ignorarlos. Y aprenden a mentir también, diciendo que harán una cosa para después hacer otra completamente distinta.

Sin conducción consistente, crecen confusos e inseguros, y sospechosos de la autoridad - ya que ellos tienen tan poca experiencia con ella -. Ellos tampoco tienen disciplina a la cual apegarse con ningún proyecto o carrera durante mucho tiempo.

Cuando este tipo de personas busca una pareja, *a menudo* escoge a alguien que tenga también un distorsionado sentido de la realidad, y que no los cuestionará de cerca. O tal vez busque a alguien que sea rígidamente consistente y confiable - no muy divertido, pero al menos una fuente de seguridad.

Si su madre (o padre) es una Waffler, esto es lo que hay qué hacer.

1. Primero que todo, **perdónela**. Ella probablemente tuvo que lidiar con más de lo que podía manejar, y no pudo tomar buenas decisiones. Definitivamente sí trató de hacerlo y sí tenía en mente el mejor interés para usted.

2. Haga un inventario de sus propias necesidades (de usted, *¡no las de ella!*). Con la ayuda de un buen amigo, haga una lista de sus prioridades. Compárelas mentalmente con aquellas de sus padres. *¿Cuáles de estas metas son realmente suyas? ¿Cuáles son realmente importantes para usted?*

3. La próxima ocasión en que su madre se contradiga a sí misma, **deténgase** y recuerde lo que va a hacer: usted ya lo pensó.

4. Manténgase siempre a una buena distancia de la confusión de su madre. Tal vez usted llegue a frustrarse tanto que querrá ser grosero, pero como ya se habrá dado cuenta, eso no ayudará - enojo sólo conduce a más enojo-. Recuerde, usted puede escuchar sin estar de acuerdo con todas sus ideas contradictorias. Hay un ejercicio en el Capítulo 8 que le ayudará a mantener el control.

El Huracán

Cuando conoce a un padre Huracán, usted se preguntará **por qué** tuvo hijos, si en realidad parece que no le agrada tenerlos a su alrededor. Pero pareciera que sí disfruta al degradarlos e intimidarlos, descargando sus propias frustraciones en ellos, tal como sus padres hicieron con él.

El Huracán se encuentra en el extremo opuesto al Preocupón, a quien conocerá dentro de un momento, aun cuando ambos están utilizando su propia manera de cuidar a sus hijos; ciertamente al Huracán no se le ocurriría protegerlos. Se lanza contra la puerta, barriendo todo lo que se interpone en su camino: los niños, el perro, el cobrador. Todo el mundo se esconde de él, porque siempre tiene la razón y además, alardea mucho por ello. No hay cosa igual que una discusión en su casa; de mal carácter, dominante y exigente, simplemente impone su voluntad:

- *¡Soy tu padre y haces lo que te digo! ¡De inmediato!*

- *¡Te lo dije, no vas y eso es no!*

Durante la cena se le presenta otra oportunidad para ser fanfarrón:

- *¡Te comes la maldita comida o te obligaré a hacerlo!*
  ¡Y no me hagas muecas!

Sin embargo, el Huracán sí hace felices a sus hijos en ocasiones: cuando trabaja hasta muy tarde. Entonces no llega a arruinarles su cena, y los deja estar tranquilos y contentos.

- *Oye mamá, qué bueno que papá no vendrá temprano a casa.
¿Nos dejas ver la caricaturas en la televisión?*

El resto de su niñez, lo pasan en medio del temor.

Cuando estos niños crecen, sus experiencias de haber sido constantemente atacados los vuelve inseguros y temerosos - o por el contrario, muy rebeldes e iracundos. Tal vez ellos mismos se vuelvan mandones para esconder sus temores, o quizá sean indecisos y debiluchos, asustados de la autoridad. Probablemente escojan parejas que los menosprecien en público, de la misma manera que vieron a su padre tratar a su madre, o tal vez encuentren a alguien a quien puedan "humillar". En cualquier caso, podrían llegar a tratar mal a sus hijos, olvidando cuánto les dolió a ellos esta situación durante su niñez.

Si tiene un padre que es un Huracán, las recomendaciones son las siguientes:

1. Trate de comprender por qué su padre se comporta como lo hace. *Sí lo ama realmente a usted*, aun cuando la forma en que manifiesta el amor sea rara o difícil de manejar. Recuerde que toda esa hostilidad proviene del miedo.

2. Cuando vaya a visitarlo, sólo déjelo cansarse y terminar con todas sus discusiones e insultos. Haga como que está escuchando, pero decida previamente que esta vez no permitirá que lo moleste. (Al fin y al cabo uno sólo oye lo que quiere.) Para usted esta es la mitad de la estrategia.

3. Cuando quiera decirle algo, sea firme pero no lo deje ver cuánto lo ha molestado. Esta es la segunda parte de la estrategia. Si es como la mayoría de los Huracanes, estará tan sorprendido de su nueva manera

de responder que no sabrá qué hacer.

4. Practique esta nueva forma de estar con él. Tomará tiempo para perfeccionarla. Pero a su tiempo usted será capaz de relacionarse con él como dos adultos, en lugar de continuar la dolorosa relación que él le infligió a usted de niño. (Ya que a él también se lo hicieron).

La Preocupona

La Preocupona es completamente opuesta al Huracán. Tiene miedo de levantarle la voz a los niños, porque podría dañar sus delicadas personalidades. Ella misma tuvo una terrible niñez, y toda su vida está dedicada a asegurarse de que sus hijos no sufran igual.

Y sus hijos no sufren - ni siquiera tienen oportunidad de hacerlo. Mucho después de que su hijo tiene la edad suficiente para comportarse como alguien de su edad, ella continúa cediendo a sus berrinches, *¡que el cielo no permita que sea capaz de negarle un juguete caro!*

Y aunque su hija ya sea mayor para seguir jugando con sus muñecas, ella sigue ayudándola a vestirse, tratándola como a una de ellas. Para la madre que no experimentó con sus juguetes, ésta es una gran oportunidad de hacerlo.

Algunas veces el esposo se incluye también. *¡Ese trabajo de matemáticas es demasiado complicado para su niñito!* Todos estos cuidados le dan a ambos padres un maravilloso sentimiento de omnipotencia, protegiendo a los niños indefensos del terrible mundo exterior.

Y esto es lo que hacen, de hecho, asegurándose de que sus hijos nunca tengan qué enfrentarse con el mundo real, dándoles todo en una bandeja de plata. Los protegen por completo; por supuesto, también los vuelven indefensos y dependientes.

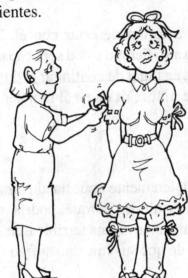

Pero ese es un precio pequeño a pagar por sus hijos, algunos de los cuales estarán atados al hogar para siempre, incapacitados para tomar sus propias decisiones, encontrar sus propias carreras y consortes y criar a sus hijos independientemente. Por lo menos siempre tendrán que estar agradecidos del maravilloso cuidado que recibieron.

Si su madre es una Preocupona, ha aquí cómo lidiar con ella:

1. Perdónela. *Ella le ama*. Tuvo tiempos difíciles, pero quería ser buena con usted. Sólo que escondió su amabilidad y le faltó darle más libertad.

2. Decida qué es lo que quiere de la vida: ¿educación, una buena carrera, un buen matrimonio? Y después póngase en marcha: invierta en usted mismo. Y páguese los gastos, aun cuando uno o ambos padres traten de comprarlo para usted. ¡Será mucho más satisfactorio!

3. Cuando su madre se sorprenda de su nueva independencia, trate de consentirle como lo ha hecho durante años, pero rechace su regalo tan diplomáticamente como pueda. Diga "No gracias, te quiero mucho". Se sentirá raro al principio, pero a su tiempo lo disfrutará.

4. Cuando trate de consentir a sus hijos y de interferir con la manera en que usted los está criando, aclárele que usted puede manejar las cosas. Tal vez tenga que practicar decir "No gracias mamá, sé lo que estoy haciendo", pero valdrá la pena. Después de un tiempo usted será capaz de decirlo convincentemente.

Peter Pan y Wendy

Peter Pan y Wendy viven en un mundo de fantasía. Peter pasa todo su tiempo mirando por la ventana y diciendo: "Puedo volar". Ocasionalmente Wendy limpia la casa, pero la mayoría del tiempo también se la pasa mirando por la ventana, inventando más y más historias. Los dos actúan como si al contar una historia se volviera real. Entre más la cuentan, más la creen.

Por ejemplo, la semana pasada su hija preguntó de dónde venían los bebés y Wendy le contó sobre la cigüena y sus viajes desde París. Por su parte, Peter les ha estado contando a sus hijos historias sobre su "fantástica" niñez:

- *Cuando yo tenía tu edad, sacaba sólo dieces en la escuela.*

- *También era campeón de natación y el mejor en basquetbol.*

Pero entonces la madre se encargó de contarles a sus hijos la verdad sobre su niñez: en realidad no era tan bueno, y necesitó de mucha ayuda de Walt Disney y de Campanita para **poder** aprender a "volar".

Los hijos de Peter Pan y Wendy viven en una total inestabilidad emocional, porque no saben lo que tienen en realidad. Su padre está ganando mucho dinero ahora como estrella de cine, pero *¿quién sabe lo que sucederá la próxima semana? ¿Habrá comida en casa? ¿Seguirán siendo sus amigos en unas semanas más estas personas del estudio de cine?*

En algunos casos niños como éstos crean su propio mundo interior de fantasía, evadiendo todo lo que se relaciona con el exterior que es tan impredecible. Como adultos, van por alguno de estos dos extremos: ya sea seguir viviendo en sus fantasías familiares o tornándose extremadamente cuidadosos y rígidos, temerosos de tomar riesgos y de avanzar en un mundo incierto.

Si sus padres viven en una fantasía, haga lo siguiente:

1. Perdónelos. No son mentirosos, sólo están desconectados. Crecieron con una niñez tan aterradora que tuvieron que inventar historias para sobrevivir.

2. Haga un recuento del mundo como usted lo conoce. Encuentre un amigo fuera de la familia que pueda sentarse a dialogar con usted para ayudarle a describir su propia realidad y a establecer sus prioridades. *¿Cuánto dinero hay en verdad? ¿Cuáles son los sueños de sus padres y cuáles son los suyos? ¿En qué punto se* una lista de lo que *usted* quiere en la vid

3. La próxima vez que usted visite que Peter y Wendy quieran contarle hi camente. Después de todo, sus historias s je que le afecten: recuerde que usted tien tienen la suya, y la **suya** es la que va a funcionar para usted.

Ponce de León y su Princesa

Estos dos simplemente no pueden aceptar la idea de que pueden estar llegando a una edad madura. Hace muchos años, Ponce oyó de una fórmula mágica en Florida que lo ayudaría a no envejecer, y la ha estado buscando desesperadamente desde entonces, comprando mientras vitaminas y aparatos para ejercitarse y la semana pasada, un bisoñé.

La Princesa tiene su propio programa para mantenerse joven: videos de ejercicios, cirugía plástica en la cara, más maquillaje que cualquier payaso del circo y un guardarropa que avergonzaría hasta a Madonna.

Así es que no es ninguna sorpresa que actúen de una forma más juvenil que ni sus propios hijos. Se la pasaron tan bien en la preparatoria y en el colegio, que quieren seguir viviendo esos sucesos lejanos. El problema es que los tiempos han cambiado y ellos no han podido arreglárselas para mantenerse al día.

Pero esto no los detiene. Se visten y actúan como adolescentes. Usan el mismo estilo de ropa que sus hijos y *compiten* con ellos por la atención de sus amigos.

No quieren, de ninguna manera, que sus hijos sean mejores de lo que ellos fueron durante la época dorada que constantemente recuerdan, así que subestiman sus logros.

- *A tu edad yo ya había tenido cinco novias, y eran todas muy guapas. ¡Las hubieras visto!*

- *¿Llamas a eso vestir bien? Deberías haberme visto cuando yo también tenía dieciséis... ¡Parecía un dandy!*

- *¡Eso no es música! Es solamente ruido. Mi generación sí tenía sentido musical.*

La Princesa puede verse verdaderamente ridícula en ocasiones. Tiende a vestirse - y a actuar - provocativamente frente a los novios de su hija, por lo que a veces ésta llega a avergonzarse y a enojarse tanto que prefiere nunca más llevarlos a casa. Algunas ocasiones la Princesa y su amigas van a fiestas y a bailes con las muchachas.

Por su parte, Ponce hace muy buen trabajo compitiendo contra su hijo - y los amigos de éste, obviamente-. Todavía juega softball, alardea cuando le va bien, y cuando no, se lo achaca a una mala noche, nunca a su edad. También es un entrenador voluntario para la liga infantil local: cualquier cosa, a cualquier precio, para recordar sus días de gloria como atleta. Se enorgullece frente a otras personas de lo bueno que son sus hijos, pero a ellos los menosprecia, llamándolos todo músculo y nada de cerebro.

Los niños están bastante confundidos por todo esto... *¿Cómo se supone que deben competir contra alguien que alega amarlos y valorarlos?* Ellos no están recibiendo muchos incentivos, pero deben desempeñarse bien de algún modo, para responder a los retos de ser atractivo, atlético e inteligente. En determinado momento se sienten inseguros, porque se esfuerzan bastante pero son menospreciados por ello.

A la larga, tienen dos opciones. Ya sea que puedan aceptar este comportamiento por parte de sus padres y someterse a él, convirtiéndose en perdedores frente a sus propios ojos, o quizá puedan competir con ellos al tener éxito propio, con apoyo de alguien que no sea de la familia. En cualquiera de los casos, enfrentarán un largo y delicado proceso para levantar su propia auto estima.

Si usted tiene padres como los que acabamos de describir, se sugiere:

1. Perdónelos. Están actuando debido a sus propias necesidades inconscientes. *Sí lo aman* aunque parezca que no. Usted no es responsable de los problemas que tuvieron en casa o en la escuela.

2. Decida que no tiene qué competir con ellos - ni con nadie más. Ellos

son quienes son y usted es usted. Acéptelo. Lo más importante es que los tiempos han cambiado, así como los estándares de éxito en la escuela, deporte, apariencia personal y relaciones.

3. Haga un inventario de sus propios talentos y habilidades. Para usted *¿qué es posible lograr? ¿Qué es lo que quiere hacer? ¿Qué le produce placer?*

4. Una vez que se dé cuenta de cuánto vale, y de cuán único es - separado de ellos -, será más capaz de tomar sus propias decisiones. No los deje metérsele bajo la piel, no les otorgue el poder de hacerle sentir mal debido a una necesidad insatisfecha de ellos.

5. Si necesita más ayuda para recuperar su propio poder, vaya a los ejercicios del Capítulo 8.

El Padre Ausente

Cuando el Gran Cara de Piedra o el Forastero regresa a casa, se convierte en un Padre Ausente. Como hace en el trabajo, se separa del resto de la familia - generalmente está solo en el desván-. Está en casa físicamente, pero no participa en la familia, la cual es nada para él. *Está, pero no está.*

Proporciona apoyo financiero, pero delega las responsabilidades en la madre, quien entonces se hace cargo de todas las necesidades de los niños, desde ropa, cuidados médicos, hasta apoyo emocional. Nunca quiere saber nada de problemas:

- *Aquí está el dinero de la semana. ¿Qué más necesitas de mí? Encárgate del muchacho... Tengo algo más importante qué hacer.*

Cuando regresa del trabajo, se va a leer a solas, a escuchar música o a ver la televisión. Simplemente se aparta de todo y de todos a su alrededor.

- *Ahora no, estoy ocupado. En otra ocasión.*

- *Estoy mirando televisión. Otro día hablamos...*

Es incapaz de comunicarse con sus hijos. No los escucha, ni siquiera hace preguntas o bromea con ellos. Simplemente no logra preocuparse sobre dónde están, con quién están, cuáles son sus inquietudes o sentimientos, nada.

Sus hijos se sentirán inseguros y devaluados, por lo que buscarán el ansiado reconocimiento en otros. Tal vez traten de encontrar amor casándose jóvenes, o dejando la escuela porque deben atender el hijo que pronto llegará. Otros se involucrarán demasiado en el trabajo, en los estudios o en sus pasatiempos, buscando compañía y satisfacción, convirtiéndose en adictos al trabajo. En el otro extremo, tal vez se vuelvan Preocupones, y les den a sus hijos una sobredosis del interés y la atención que ellos mismos nunca recibieron.

Si su padre (o su madre) es un Padre Ausente, he aquí qué hacer:

1. Entienda que *él lo ama*, pero no puede mostrarlo excepto proporcionándole dinero a usted. Para estas fechas, probablemente usted ya haya averiguado cómo llegó a ser de ese modo.

2. Cuando vaya a visitarlo, hágase el propósito de interactuar con él. Empiece una conversación, pregúntele en qué está interesado, por lo menos qué es lo que está viendo por esos días en la televisión. Tóquelo y abrácelo, aunque pueda parecerles raro a ambos. Siéntese junto a él. Estará rígido al principio, pero después de un tiempo tendrá que relajarse.

3. Trate de salir con él a algún lugar que él escoja. Siga yendo a visitarlo y a pasar tiempo con él. Si usted es paciente y constante, eventualmente entenderá que usted lo ama, y que quiere compartir tiempo y amor con él.

4. Utilice su sentido del humor, ya que él no tiene. Usted terminará por lograr que se relaje tarde o temprano. Gente así tiende a ablandarse posteriormente en la vida.

5. Tenga cuidado de no casarse con un Preocupón o un Salvador, quienes solamente quieren satisfacer sus necesidades emocionales. *¡Por lo menos un Hombre Espectáculo o un Pseudo-Intelectual podrán entretenerlo!*

Don Juan

Don Juan es una figura familiar, ocupado siempre prestando atención a mujeres atractivas a la vista, siendo adulador, encantador, divertido de tenerlo cerca. Su contraparte femenina, Doña Juanita, vive para el mismo propósito: lograr que los hombres noten sus ropas llamativas, su cuerpo sexy y sus maneras encantadoras. El problema es que como están tan ocupados con sus amoríos, nunca están en casa - por lo menos el Padre Ausente tiene su cuerpo ahí.

Cuando Don Juan llega al hogar, se culpa por todas sus aventuras, así que actúa como el Huracán delante de sus hijos. Y por supuesto, como Peter y Wendy, él y Doña Juanita terminan contándoles cuentos de hadas a sus hijos, en lugar de la verdad. O se vuelven Wafflers, tratando de ocultar lo que realmente está sucediendo.

Los niños resienten los resultados de este comportamiento. Se sienten solos y no amados porque no han recibido suficiente atención, aterrorizados por el Huracán, e inseguros porque nadie les explica lo que está pasando. Además, es caro ser un Don Juan, por lo que sus hijos a menudo sufren económicamente.

Pero los resultados específicos para los hijos dependen en gran medida del padre y del hijo. La hija de un Don Juan quizá empiece a darse cuenta de que algo anda mal cuando él nunca está en casa por las noches. O tal vez lo encuentre en una discoteca - bailando a todo lo que da - cuando ella salga con sus amigos a divertirse.

En determinado momento puede llegar a enojarse tanto por parte de su madre que se convierte en una Doña Juanita ella misma, seduciendo y después hiriendo a los hombres, casándose y divorciándose repetidamente. O tal vez repita el dolor de su madre al vivir con hombres que la traten mal.

La hija de Doña Juanita pensará en los hombres como juguetes - los usará y los echará a la basura-. Así que tal vez tenga hijos de varias parejas, buscando ese amor que nunca obtuvo de su madre, la cual siempre le prestaba más atención a los hombres. Ahora los "castiga" a ellos por lo que le hicieron a su madre.

El hijo de Don Juan tal vez lo imite, abandonando a su propia esposa y a sus hijos para buscar relaciones más excitantes en alguna otra parte. En el otro extremo, su vergüenza por lo que hizo su padre tal vez lo conduzca a decidir de niño, ser el buen esposo que a cualquier mujer le encantaría tener.

El hijo de Doña Juanita quizá crezca odiando a las mujeres, y tal vez abandonará a su esposa e hijos, o tendrá hijos con varias mujeres distintas. Por otra parte, al haber visto a su padre ser abandonado, tendrá problemas para confiar en cualquier mujer que se quede con él, abandonando cualquier compromiso antes de que puedan hacerle daño.

Si su padre es un Don Juan, o su madre una Doña Juanita, le sugerimos cómo manejarlo:

1. Probablemente usted se lo ha estado preguntando, pero él sí *le ama* y a los otros niños también, y a su madre - a su propia y extraña manera.

2. Trate de entender que todo este comportamiento viene de su necesidad de reconocimiento y amor en la niñez. Así es como decidió llenar esa necesidad. En realidad no tiene nada qué ver con si usted es o no una persona que pueda amarse.

3. Usted posiblemente ha estado tentado, pero no cometa el error común de confrontarlo en público. Hemos visto intentarlo a muchas personas, y definitivamente no funciona.

4. Una vez que usted esté seguro de lo que sucede, invítelo a platicar al respecto en privado. No lo haga sentir que lo está criticando o empujando o controlando la situación: recuerde que él es inseguro. Dígale cuánto lo ama y lo necesita, honestamente y con sentimiento.

5. Ahora dígale cuánto le lastima su comportamiento y cuánto necesita que él cambie. Pregúntele si en verdad desea herirle. Esto puede ser muy poderoso si escoge el momento, y las palabras, cuidadosamente.

6. Si él continúa con sus viejos hábitos, acepte que su necesidad es demasiado fuerte para controlarla y que es problema de él, no suyo. Por lo menos usted hizo su mejor esfuerzo: eso es más satisfactorio que no decir nada. Ahora, siga adelante con su propia vida como ya sabe hacerlo.

El Adicto

Todos hemos leído mucho sobre este tema, así que no le dedicaremos mucho espacio en este libro. Sin embargo, hemos visto tanto dolor entre los hijos de los padres Adictos que tenemos que mencionar el problema. Recuerde que existen muchas clases de adicciones, desde el comer y hacer dieta compulsivamente, hasta la adicción al trabajo, a las apuestas, a tener amoríos y el abuso de alcohol y drogas. Algunas veces un adicto al trabajo no querrá admitir que este comportamiento puede herir a sus hijos tanto como cualquier otra conducta adictiva, lo cual le hace más difícil poder detenerse.

Los hijos de padres Adictos escucharán frases como éstas:

- *Mañana me detendré...*

- *Nunca otra vez...*

- *Sólo una más...*

- *Prometo que cambiaré...*

- *De ahora en adelante...*

No es ningún accidente que las mismas frases se apliquen a todas las clases de adicciones. Así también los mismos patrones de comportamiento: el padre adicto puede ser con frecuencia un ausente emocional, aun cuando esté en casa. El alcohol puede conducirlos a contar mejores cuentos que Peter Pan y Wendy, o por lo menos a ser un Waffler, y pueden fácilmente actuar impulsados por la culpa como Huracanes o Preocupones.

Además de todos los comportamientos confusos que trae la adicción, el niño que ve toda esta debilidad y autodestrucción en alguien que ama pensará, como todos los niños: "Si mi padre realmente me ama se detendrá". Pero también ve la dolorosa realidad de que algo más - el alcohol o el trabajo o las apuestas - es mucho más importante que él. En cada familia, quizá uno o dos niños sean lo suficientemente afortunados para ver el dolor y no imitarlo. Ellos se vuelven buenos padres y trabajadores exitosos a pesar del trauma de sus padres.

Pero otros niños no son tan afortunados, y repiten el dolor de su niñez al encontrar una pareja que es como el padre, y después ya sea reviviendo esa vida de sufrimiento y resignación, o aceptando la adicción para mantener la compañía de su pareja.

Si el hijo de un padre adicto también se vuelve adicto, *imita el comportamiento que más odia*. O tal vez evite cualquier cosa que parezca sobre indulgente, (como una copa en una fiesta), volviéndose incansable en su trabajo, la disciplina, o el ejercicio, como una forma de recuperar el sentido de control que nunca tuvo con sus impredecibles padres.

Si alguno de sus padres es un adicto de cualquier tipo, haga lo que le sugerimos a continuación:

1. Entienda que es una enfermedad. Puede parecerle raro a usted, pero su padre o su madre lo aman en realidad. Es sólo que el mal es más

143

fuerte que el individuo.

2. Trate de encontrar un grupo que sea apropiado a sus necesidades. (como AA que es una maravilla.) Como terapeutas, apoyamos totalmente el trabajo de estos grupos, y a través de los años les hemos enviado a muchas personas. No podemos ofrecerle mejor consejo que la experiencia de estar con otros que comparten su pena. A algunos no les gusta la idea de hablar de su dolor ante un grupo de extraños, - mucha gente no se siente cómoda al principio pero funciona. Las personas se encuentran mejor en uno de estos grupos una vez que se encuentran participando activamernte con AA e involucrados.

3. Recuerde, su propia vida es valiosa, no importa el dolor que le tome para sobreponerse al dolor de sus padres.

La Enciclopedia Andante

Hay una en cada vecindario, barrio o colonia, y todos tienden a evitarlas. Ella tiene la explicación para todo, y si no tiene la respuesta, inventará una finalmente. Inclusive los procedimientos simples como el cepillarse los dientes se vuelven oportunidades para sermones profundos sobre ciencia e historia.

Pronto, el niño descubre cómo desengancharse. O gruñirá en voz alta: "Ah, sí, mamá. Ya sé. Es porque..." Después de un tiempo ella pierde credibilidad y sus comentarios se vuelven una burla. El problema es que el hijo nunca aprende a "pensar" por él mismo, porque su madre nunca le hace preguntas ni escucha sus ideas. Se vuelve impaciente por experimentar las cosas solo, y eventualmente se rebela a todas las reglas en la casa.

En el otro extremo, tal vez se convertirá en un sermoneador también, compartiendo con los vecinos y compañeros de trabajo todo el conocimiento inútil que obtuvo de niño. Sentirá que puede arreglar cualquier problema que surja entre las personas, porque él ya lo ha escuchado todo. O se volverá un académico muy exitoso, ya que ha sido entrenado desde la infancia a tolerar detalles.

Los hijos de estos padres quizá terminen con un Gran Cara de Piedra por pareja; al principio el silencio será un verdadero alivio. O buscarán una pareja que pueda protegerlos con todo lo que saben, aun cuando sean o no buenos para construir y sostener relaciones. Pero tal vez sea muy duro para ellos encontrar una pareja tan sabia entre los simples mortales que generalmente están disponibles.

Si su madre es una Enciclopedia Andante, le aconsejamos:

1. Recuerde que su comportamiento es sólo necesidad de atención. Puede ser vergonzoso y molesto, pero ella únicamente trata de ayudar.

Y todos esos sermones y recordatorios de hecho son una forma de expresar su amor, por más extraño que parezca. *Lo ama.*

2. Aunque le haga sentir que usted nunca hace nada lo suficientemente bien, usted sí lo hace. Si tiene dudas al respecto, haga una lista de sus habilidades y logros, y recuerde eso la próxima vez que ella esté hablando con usted.

3. La siguiente ocasión que lo irrite, relájese. No reaccione. Sólo escuche. Déjela continuar. Ahora sabe lo que puede hacer bien. Su vida es de ella y la de usted es suya. Ella ya no puede afectarle.

El Tacaño

Conocimos a este tipo en el Capítulo 4. Bueno, como padre es el mismo: desvelándose para balancear la chequera y revisando los periódicos para asegurarse de que está al tanto de todas las ofertas. Los problemas de su propia niñez - verdaderos problemas económicos o pérdidas emocionales - se convertirán en angustia económica para sus hijos. El Tacaño quizá le recuerde a veces a Peter y a Wendy, porque cuenta cuentos de desastre económico cuando de hecho las cosas están bien. En otras ocasiones, es más parecido al Huracán, porque su palabra sobre el dinero es la ley.

O posiblemente sea como el Waffler, quien promete cosas materiales que nunca entrega.

En determinado momento, sus hijos también aprenden a guardar sus recibos y a preocuparse por el precio de los vegetales. Dudan si pueden comprar cosas que realmente necesitan y sienten que no son valorados porque cada decisión se basa en el dinero en lugar del amor. En vez de preguntar cómo sabe el sandwich, el Tacaño se preocupa por su precio

- y lo que es peor, también juzgan así a sus amigos-.

Aprenden que el dinero es más importante que cualquier cosa, que obtener todo gratis es lo que realmente interesa en la vida. Lo que más lastima a los niños, sin embargo, es cómo el padre les recuerda una y otra vez - como disco rayado - el dinero que ha gastado en ellos.

Algunas ocasiones, el niño opacará a sus padres en encontrar ofertas, invirtiendo sabiamente y no gastando nunca lo que tiene - por supuesto divirtiéndose muy poco también.

Por otra parte, quizá se vuelva derrochador o temerario, comprando un carro tras otro, vaciando sus cuentas bancarias y arreglándoselas para perder o romper todo aquello que él o sus padres tanto aprecian.

Si uno de sus padres, (o ambos), es Tacaño:

1. Entienda sus razones. Ellos seguramente fueron privados en la niñez, ya sea de dinero o de amor - o los dos -. No son felices y no fue su culpa.

147

2. Recuerde las otras cualidades de ellos que usted aprecia. Acostúmbrese a la idea de que no obtendrá dinero de sus padres, pero tal vez reciba muchas otras cosas: amor, consejos y tal vez hasta algunos momentos divertidos. *¡Cualquier cosa que sea gratis!*

3. Recuerde que usted tiene el poder para ganarse la vida. No tiene que sentirse pobre. No tiene qué cargar con las creencias de ellos.

4. Aprenda a valorarse a sí mismo y a gastar dinero en lo que necesite.

5. Tenga cuidado de no casarse con un Tacaño o un Derrochador. Si se casa con el primero de ellos, nunca tendrá para comer - pero con el otro vivirá con indigestión.

En Síntesis

Usted ha escuchado decir que los niños no vienen con un manual de instrucciones. Bueno, ¡tampoco los padres! No los escogimos, y no nos escogieron a nosotros. En este momento se ha vuelto más fácil juzgarlos y criticarlos - y todos podemos ser bastante crueles con nuestros padres a veces. Pero la verdad es que **nos dieron lo mejor que tenían**, para bien o para mal.

Ahora, esperamos que haya sido capaz de ver a sus padres desde una perspectiva más amplia y enriquecedora. Ha podido descubrir que si su comportamiento lo hirió o lo molestó, no fue su culpa, y más importante, puede hacer algo al respecto como adulto. Ya no tiene que sentirse impotente con estas personas difíciles. **Que lo aman a usted.**

Aquí hay unas preguntas para ayudarle a esclarecer qué es lo que sucedió con sus padres difíciles en su niñez. Esto debería ayudarle a entender a esos padres que todavía pueden ser desconcertantes.

Preguntas

1. *¿Conoce usted a alguien cuyo padre sea un Waffler? ¿Un Huracán, una Preocupona, un Peter Pan y Wendy, un Ponce de León y su Princesa, un Padre Ausente, un Adicto, una Enciclopedia Andante, un Don Juan o Doña Juanita, o un Tacaño?*

2. *¿Qué es lo que hace a ese padre ese tipo en particular? ¿Cómo se siente respecto a esa persona?*

3. *¿Cómo se siente respecto a la persona cuyo padre es así?*

4. *¿Alguno de estos tipos le recuerdan a usted mismo? ¿A sus padres?*

5. *¿Cuáles? ¿Por qué?*

6. *Si usted pudiera cambiar cualquier cosa de cualquiera de estas personas de las que hemos estado hablando y supiera que funcionaría ¿qué cambiaría? ¿Por qué?*

Recuerde:

Como todas las otras personas difíciles, los padres difíciles pueden cambiar.

CAPITULO 7

La gente difícil se hace,
no nace

Ahora que usted ya ha visto buenos ejemplos de personas difíciles, tal vez tenga curiosidad de saber de dónde vienen. Basados en las miles de personas que hemos atendido en nuestra práctica clínica y en nuestros seminarios, aprendimos que existe un número de cosas que pueden sucederle a la gente ordinaria para que se convierta en gente difícil. Para empezar, como lo describimos en el Capítulo 1, todos tuvimos experiencias en la niñez que no sabemos cómo manejar. Hacemos lo mejor posible, pero terminamos respondiendo en formas que no son muy usuales fuera de la experiencia de la niñez. Cuando tratamos de emplear esas mismas respuestas en la adultez, nos encontramos con que no sirven; pero se han vuelto hábitos, son difíciles de cambiar. Y hacen ruido y confunden a las personas a nuestro alrededor.

Lo que acabamos de describir sucede a todos. Hemos desarrollado hábitos en la niñez que se han tornado destructivos en la vida adulta. Y estos patrones se desarrollan diferente para cada quien, debido a que nos encontramos con distintos problemas en nuestro camino a través de la niñez y la adolescencia. Los roles y actitudes que la persona difícil toma son sólo más extremosos y más complicados de manejar para otros. Pero se desarrollan en la misma forma que los hábitos de los demás. Veamos éstos un poco más detalladamente. Los dividiremos en etapas para hacerlos más fáciles de entender, pero en realidad todos estos procesos suceden al mismo tiempo.

Todo principia con los conflictos no resueltos de la niñez. Como hemos dicho, cada uno de nosotros aprendió a sobrevivir bajo las condiciones que encontramos en la infancia, y todas esas experiencias de sobrevivencia a una situación a la vez, determinaron lo que somos ahora. Pero una gran cantidad de esas vivencias, y las características que se derivaron de ello, están todavía con nosotros. Se muestran como actitudes o roles que tomamos tan naturalmente que pasan desapercibidos. Esto se aplica a todos.

Un buen ejemplo de cómo funciona esto es un hombre que creció en un hogar hostil. Al ver conflicto constante a su alrededor, aprendió a defenderse peleando y siendo generalmente agresivo en cada situación. Esto le permitió sobrevivir como niño; ciertamente eso era entendido por sus padres, quienes lo utilizaban todo el tiempo para sí mismos. El problema es que ahora está casado y tiene hijos pequeños, y no sabe otra manera de responder a los problemas. Siempre está buscando pleitos y pone a todos en guardia. Esto también lo mete en problemas en el trabajo y sus hijos están aprendiendo a pelear entre sí todo el tiempo también. Así, él es una persona difícil en cualquier parte que vaya, y no conoce otra forma de responder.

La segunda etapa en este proceso es el desarrollo de los mecanismos de defensa, los cuales son formas estereotipadas de responder a ciertas experiencias; por ejemplo, alguien que fue asustado por un perro grande cuando tenía tres años de edad, puede saltar a la menor seña de uno. Y esta persona no entiende por qué. Eso es obvio. Pero para mucha gente, estas actitudes adoptadas se han convertido en hábitos de siempre responder negativamente, y a través de los años esa conducta lleva a la frustración y decepción. Cuando estamos a la defensiva y listos para ofender, es duro ver las oportunidades y casi imposible relacionarse bien con los demás. Por lo tanto, se desarrolla la personalidad difícil.

La siguiente etapa es una tendencia a formarse *objetivos no realistas.* Las personas que se sienten decepcionadas cuando sus mecanismos de defensa las lleva a situaciones negativas, tienden a reaccionar de más. Ya que necesitan probarse a sí mismas de alguna manera, y se sienten tan infelices consigo mismas como son, planean y persiguen proyectos que están mucho más allá de su capacidad. Entonces, debido a que nadie más puede entender lo que están haciendo, empiezan a sentir que no hay razón para tratar de comunicarse. Al final, se desaniman más y se dan por vencidas tratando de entender o de ser entendidas.

La combinación de todas estas experiencias lleva a la gente difícil a sentirse negativa sobre sí misma y sobre su potencial. Dependiendo de las vivencias particulares que ha tenido, puede crear su defensa individual a partir de sentimientos que los demás no entienden, que nunca le ayudaron o que van a interponerse en su camino. Estos son sólo tres ejemplos. El que siente que los demás no lo entienden, puede volverse un Forastero, nunca atreviéndose a hablarle a los demás debido a que raramente ha sido comprendido. O tal vez puede tomar la dirección opuesta y convertirse en un Pseudo-Intelecual, tratando de probar lo mucho que sabe y por tanto "mostrarse" ante toda esa gente que nunca creyó en sus habilidades mentales cuando fue joven.

En la misma forma, quien siente que nadie puede ayudarle adopta el papel de Víctima para un cónyuge Salvador, viviendo de tal forma que necesita ser ayudado durante toda su vida. O tal vez, fácilmente se convierta en un Salvador, actuando los mismos patrones desde la dirección contraria, probando que de hecho, esta persona sí puede ayudar a los demás. O se torna un lamentador profesional, quejándose siempre y buscando apoyo constante. Finalmente, el que siente que otros pueden meterse en su camino se transforma en un Huracán, asegurándose de pasar sobre otros antes de que ellos lo hagan sobre él. Está determinado a revertir todo el dolor de su niñez - *¡qué mal si él sólo se lo endosa a los demás!*

Las experiencias que crean a las Personas Difíciles

Ahora que usted ha visto cómo trabaja el patrón básico, vamos a analizar algunas experiencias específicas adicionales que convierten a la gente ordinaria en gente difícil.

Crítica

En ocasiones un niño es criticado a tal grado, que a su tiempo se convierte a su vez en una persona muy criticona sobre las acciones e ideas de otras personas. Por tanto, toma una actitud de siempre estar a la ofensiva; vive bajo la máxima de que la mejor defensa es una buena ofensiva. Al ser criticado tanto de niño, se convierte en un experto en hacerlo: puede encontrar errores en cualquiera.

Por otro lado, un niño que ha sido constantemente criticado puede volverse muy vulnerable a las críticas, de tal forma que a la primera señal de crítica se pone a llorar y todos a su alrededor tienen que tratarle con pinzas. O tal vez puede volverse un perfeccionista para asegurarse de que nunca hará algo que alguien puede criticar.

Manipulación

Algunos niños aprenden a manipular para obtener lo que necesitan. Debido a que no han sido apoyados en su casa o en la escuela, son tan inseguros que no se atreven a pedir las cosas directamente. Así que aprenden a llorar, o a apenar a sus padres o a hacer berrinches temperamentales - cualquier cosa que los lleve a obtener lo que quieren. *Este tipo de personas necesitan* que los demás les respondan constantemente para ayudarles a sentirse seguros.

Esta clase de conducta se torna constante en toda la vida. La gente así toma el papel de Víctima, haciendo a quienes le rodean responsables de lo que ellos deberían resolver por sí mismos. O manipulan a otros a través de la culpa, recordándoles lo mucho que han hecho por ellos. La manipulación puede tomar varias formas: dependiendo de lo que sus padres emplearon para calmarlos en la niñez, pueden manipular a los demás utilizando información, culpa, amor, dinero, tiempo o cualquier otra cosa.

Apatía

Otro tipo de persona difícil simplemente nunca ha tenido el apoyo suficiente para desarrollarse completamente como ser humano: físicamente, emocionalmente o de otra forma. Personas como éstas nunca obtuvieron la suficiente atención como niños y nunca realmente aprendieron a hacer amigos. En respuesta, desarrollaron una actitud de indiferencia: se tornaron evasivos y tendieron a vivir sin mucha interacción comunicativa.

A medida que pasaba el tiempo, ellos se asustaron de ser expuestos frente a los demás y dejaron de tomar riesgos, especialmente en las relaciones. Se encerraron en sí mismos, volviéndose más y más pasivos. Si no hacen nada, no serán expuestos, así, se apartaron de lo tradicional.

Las cosas parecen resbalarse de sus manos como el agua en la espalda de un pato, y su vida se queda sin emociones.

Hipocresía

Pero otra gente que obtuvo muy poco estímulo durante la niñez toma una actitud completamente diferente. Esta gente tiende a crear sus propios mundos imaginarios para evadir el reconocer el vacío que llevan dentro. Ya que no fueron apreciados de niños, se sobrecompensan de adultos, inventando historias grandiosas para llamar la atención, alardeando de su dinero y posesiones, y teniendo amoríos con quien quiera que se encuentran. Cualquier cosa que les dé la atención y amor que no tuvieron hace tiempo - pero nunca a costa de revelar actualmente quiénes son.

La máscara debe permanecer, con lo que sea que muestren.

Una vez que encuentren una forma de llamar la atención, la seguirán usando, como si el tener mucha ahora los compensara de lo que se perdieron anteriormente. Pero nunca sucede así:Don Juan y Doña Juanita siguen teniendo amoríos, el Hombre Espectáculo continúa exhibiéndose y el Pseudo-Intelectual sigue inventando historias.

Buscando Aceptación

Otros nunca se sienten en realidad aceptados durante su niñez por la familia, los amigos o la comunidad. Por eso, de adultos se unen a grupos y más grupos buscando amigos y un lugar en el mundo social. También tienden a volverse sirvientes de otros esperando ganarse su amistad en pago. Les pueden ofrecer su casa, su firma o su tiempo.

Al ofrecerse a ayudar tan a menudo, pueden empezar a tomar tiempo de su trabajo y su familia, sin mencionar la pérdida de dinero. Pero éste es un precio a pagar a cambio de finalmente ser aceptados y reconocidos.

Fracasos Deliberados

Otro camino hacia el convertirse en una persona difícil es encontrar el modelo perfecto a seguir y después fallar en el intento. El razonamiento que la persona difícil utiliza entonces es: "Si no puedo ser lo que él es, entonces me volveré el fracasado miserable que realmente soy".

Esta es la razón por la cual mucha gente no está satisfecha consigo misma; pasan sus vidas soñando sobre lo que pudo haber pasado si... Actúan el mismo sueño con su cuerpo, del que también tienen un ideal imposible, haciendo dietas constantemente y tratando de ponerse en forma y después dejándolo cuando no pueden verse como la instructora de aerobics o las modelos en las revistas.

Cualesquiera de las dinámicas que hemos descrito aquí, pueden volver a una persona ordinaria en una persona difícil - sólo es cuestión de tiempo. Ahora veamos cómo se dan las variadas defensas que la gente difícil utiliza en su vida diaria.

Personas Difíciles y sus Mecanismos de Defensa

Cuando las personas difíciles se enfrentan a un cambio potencial, tanto interno como externo, tienden a responder en una de las siguientes ocho maneras: evasivas, iracundas y distantes, agresivas, perdidas en la fantasía, racionalizadoras, inmersas en una pseudo erudición, víctimas o apáticas. Algunas de estas conductas corresponden exactamente a los tipos que ha visto en capítulos anteriores; por ejemplo, la conducta del pseudo erudito que verá más adelante es la garantía diaria para el pseudo intelectual descrito en el Capítulo 2. Otras formas de conducta pueden verse en cualquiera de los tipos; por ejemplo, cualquiera puede enojarse y ser distante en momentos, o apático.

Estamos describiendo estas conductas aquí de tal forma que usted pueda reconocerlas en las personas difíciles que le rodean y entender por qué sienten la necesidad de actuar como lo hacen. Como hemos visto en capítulos anteriores, estamos mezclando a hombres y mujeres para enfatizar que todos estos tipos pueden corresponder a cualquiera de los dos.

Hostilidad

Utilizando esta conducta, la persona difícil se defiende a sí misma al invadir el territorio de otros. Por ejemplo, cuando usted está hablando con una persona difícil, ésta podrá acercarse más y más durante la conversación, hasta que finalmente se ve forzado a retraerse.

El tipo Don Juan constantemente utiliza esta clase de conducta, buscando siempre nuevas formas de emboscar a sus víctimas con una explosión verbal inesperada y un lenguaje corporal impredecible. Otro tipo de invasión ocurre cuando la persona difícil actúa completamente en lugar de sus "amigos". Piensa por, habla por, decide por y usa a las otras personas. Por ejemplo:

- *No me interesa si es tu hora del almuerzo. ¡Tienes qué recoger ese paquete por mí ahora!*

- *Moví tu escritorio hacia la oficina principal porque es ahí donde se necesita.*

- *Ya que tú eres la única persona soltera aquí en el trabajo, te comisiono para que entretengas a nuestros clientes foráneos.*

La invasión de territorio, ya sea del espacio físico o del cuerpo de alguien más es exactamente lo que sucede entre naciones. Lo mismo pasa con las personas que claramente necesitan el poder, o aún la seguridad que nunca tuvieron de niños.

Enojo y Distanciamiento

Esta persona utiliza el enojo para asustar a otros de tal forma que no se acerquen lo suficiente para descubrir sus fallas. Por lo tanto, la persona se las arregla para distanciar la comunicación y no tener qué interactuar genuinamente con otros para que no descubran sus inseguridades profundamente asentadas.

- *¡No quiero ver a nadie hoy! Retenga todas mis llamadas y no me moleste.*

- *Haz de cuenta que no estoy aquí. Veamos cómo resuelves el problema por ti mismo.*

- *¡No te lo voy a repetir! ¡No quiero escuchar otra queja!*

Un ejemplo clásico de este tipo es el padre que siempre está de malas. Ni su esposa ni sus hijos se atreven a pedirle nada. Regresa a la casa furioso y usa su genio para poner una cubierta a su alrededor.

El problema es que constantemente guarda su distancia y nunca se relaja lo suficiente debido a su mal temperamento como para llevar a los niños al cine o ir a comer con su esposa. Así, su mal genio le permite evadir la intimidad con su propia familia. Lo mismo sucede en el trabajo: su temperamento lo faculta para permanecer alejado de otros, transformando su oficina en un lugar al que todos evitan.

Agresividad

Algunas veces la persona difícil violará abiertamente los derechos de otros para asegurarse de que los propios no sean violados. Por tanto, se proyecta a sí misma como alguien de importancia especial que merece una posición de incuestionable autoridad:

- *Antes de que digas nada, déjame recordarte de que el error vino de tu departamento.*

- *Ya le mandé el memo. Si hay problemas, tú serás el responsable de ellos.*

En ocasiones, cuando grita y amenaza, es realmente una manera de sentirse más poderosa e importante. Lo que está en el fondo de esta conducta es el miedo de que alguien descubra qué tan insegura e inadecuada realmente se siente. Esta conducta también le permite dejar de realizar responsabilidades que le atañen, presionando a otros para que hagan lo que ella debería estar haciendo.

Imaginación

Unas cuantas páginas anteriormente, describimos cómo alguna gente se involucra en vuelos de fantasía en lugar de enfrentar la realidad. Este es uno de los mecanismos de defensa más placenteros, por ello no es extraño que mucha gente lo use. *¿Qué puede ser más divertido que inventar historias y obtener atención por ello? ¡No importa si son verdaderas o no!*

Por ejemplo, el Hombre Espectáculo ya descrito, entabla una actuación indefinida que le da el escape para no manejar cualquier pizca de responsabilidad. Si esta persona no es inmediatamente reconocida, desplegará aún más sus talentos en un intento de obtener el reconocimiento que necesita desesperadamente.

El exagera las emociones y situaciones hasta el punto de que se despega de la realidad.

Pero muy extrañamente, su habilidad de pasarse de lo real a lo fantástico lo hace sentir poderoso, en especial cuando puede lograr que otros se involucren en las múltiples aventuras en las que sueña. Esto sólo hace las cosas más complicadas para él en lo que se refiere a mantenerse en contacto con la realidad.

Pero cuando se termina su juego y tiene qué enfrentarse al mundo real, se deprime. Tiende a moverse inestablemente hacia adelante y hacia atrás entre la depresión y el entusiasmo maniaco, dependiendo de la respuesta que esté obteniendo de los demás. Por tanto, su sistema de defensa lo hace todavía más inestable, aunque le permite evadir el enfrentar sus enormes miedos al rechazo.

Racionalización

En otras ocasiones, la persona difícil usará la racionalización. Esto es lo que ofrece para desarrollar relaciones: siempre tener el cómo y el por qué para todos y para cada situación.

Su batalla sin fin por la perfección la lleva a tratar de controlar todo lo que hace, actuando demandante e inflexible. Siempre le encontrará pensando en círculo, creando nuevas teorías. Para cada situación que se presenta, trata de tener una solución brillante o al menos una respuesta que suene sensible en el momento. Pero esto crea una fuga física y emocional en la gente a su alrededor, ya que ésta nunca puede estar viviendo de acuerdo a sus expectativas.

A su tiempo, se vuelve rígida, intolerante y crítica, prefiriendo ideas a las verdaderas relaciones. Así es como esta persona se distancia a sí misma del contacto emocional. Cualquiera que quiera conocerle bien, tendrá qué vérselas con todos los obstáculos "razonables" que ella pone en su camino.

Su racionalización, respaldada por información, le permite pensar que tiene un sistema de defensa a prueba de tontos. Si se ve atacada, puede emplear su batería completa de conocimiento acumulado y estadísticas para demostrar que sí avala la posición que ahora tiene.

Pseudo-Erudicción

Como defensa, el Pseudo-Erudito crea un mundo irreal basado en su supuesta erudición. Se las arregla para convertir esto en un beneficio, haciendo que la gente lo oiga y le ponga atención, lo que después de todo es lo que más desea.

Como no le importa quien lo oiga, puede crear una buena audiencia y por tanto sentir que ha ganado algún prestigio, siendo esta una manera extraordinaria de ser compensado por la negación experimentada cuando niño.

- *No sé dónde lo leí... Pero lo leí en un libro. Estoy seguro.*

- *Las más recientes investigaciones en el área revelan...*

Víctima

La Víctima, o la Quejumbrosa Profesional, revela todas las cosas inaceptables que tiene guardadas dentro de sí, esperando que alguien eventualmente le diga que está bien así como es. Construye su vida alrededor de sus quejas, descargándolas en cualquiera que le escuche; su pleno objetivo en la vida parece ser encontrar un alma buena que tenga un oido atento y trate de consolar o resolver sus múltiples problemas.

Además, al siempre estar en problemas, puede evadir sus

responsabilidades... *¿Quién podría esperar más de una indefensa víctima?* Esta rutina le sirve de mecanismo de defensa; le permite sentirse más confortable con los demás y su ambiente. Ya que otros le resuelven sus problemas, evita sentirse culpable por lo que ella no hace, pero consigue que los demás se sientan responsables por su inconformidad, su forma de llamar la atención, ganar aceptación y hacer que las cosas se lleven a cabo.

Pasividad

Utilizando el silencio y la pasividad, el Forastero y el Gran Cara de Piedra, buscará un lugar estable entre la gente a su alrededor. El confía en el "tratamiento del silencio", el cual le deja devaluar y degradar a cualquiera que parezca oponerse en algo. Tal vez señale los errores y debilidades de los demás, para evitar el riesgo de ser devaluado él mismo. Una persona así puede por tanto evadir el más ligero indicio de rechazo u obligación qué cumplir en una relación.

Pero por supuesto esta conducta se basa en el miedo al rechazo. Aun cuando haya decidido enfrentar un conflicto potencial, tiende a estar tan fuera de alcance que provoca el rechazo tan temido. Y al ser tan pesimista, puede crear interminables obstáculos para sí mismo y para todos los demás: una forma adicional de mantener la distancia y no estar obligado a participar.

En vez de encarar cualquier reto, es más fácil para él confiar en el viejo juego de "soy un fracaso de cualquier forma", y terminar en un "don nadie", que enfrentar a otras personas e interactuar con ellas. Estas técnicas le ayudan a evitar compromisos y responsabilidades, cargándolos a otros.

En Síntesis

Hemos explicado cómo la gente difícil llega a esos caminos de tal forma que usted pudiera entender las motivaciones de la conducta que en ocasiones parece completamente absurda e inesperada. La clave de todo es:

Las personas difíciles son personas infelices, y le hacen infeliz a usted también.

Sus hábitos difíciles provienen directamente de su propio dolor e insatisfacción. Cuando usted analiza su conducta, puede encontrar mejores maneras de interactuar con ellas. Esperamos que esto haya sido interesante para usted, y le haya despertado la curiosidad para observar, de hoy en adelante, a la gente difícil para ayudarla a ser menos complicada para todos los demás a su alrededor.

Aquí hay algunas preguntas para guiarle en la comprensión de las personas difíciles en una forma un poco más profunda.

Preguntas

1. *Piense en gente que le es cercana. Escriba sus nombres.*

2. *Tome la primera. Si usted tuviera que anotar el mecanismo de defensa o el patrón que ésta usa más a menudo ¿cuál sería? Ahora piense en la segunda persona, y haga lo mismo. Continúe con cada una de las cinco.*

3. *¿Cómo se siente al estar con cada una de estas personas?*

4. ¿Cuál es la peor experiencia que usted ha pasado con cada una de estas personas?

5. Ahora véase a sí mismo. Si tuviera qué elegir un patrón o defensa que utiliza más a menudo, ¿cuál sería? ¿Cómo cree que se siente la gente que está a su alrededor cuando usted está siendo de esta manera? ¿Cómo podría cambiarla?

6. ¿Si usted pudiera cambiar algo acerca de esta gente y estuviera seguro que funcionaria, ¿qué cambiaría?

Recuerde:

Cada una de las personas difíciles está haciendo un intento por obtener amor y reconocimiento.

CAPITULO 8

Comunicándose con una persona difícil

La comunicación es crucial para crear una buena relación con una persona difícil - en el trabajo, en la casa o en cualquier lugar. En este capítulo veremos por qué la comunicación falla con personas difíciles y después aprenderemos a mejorar la comunicación con ellas, a través de ambos enfoques, verbal y no verbal.

También le ofreceremos formas de llevar una conversación con una persona difícil y convencerla de algo. Terminaremos el capítulo con un ejercicio que le dará un poco más de entereza, necesaria para tratar con personas difíciles. *¡Es posible y puede ser divertido!*

Por qué la comunicación fracasa

Una de las cosas más complejas acerca de las personas difíciles es que éstas no quieren tomar responsabilidades. Por supuesto, la mayoría de nosotros quiere deshacerse de las cosas en un momento dado, pero la gente difícil es especialmente buena en forzarnos en situaciones sin fin para luego tomar las suyas propias.

Existen muchas tácticas que las personas difíciles utilizan para manipularnos. Aquí le mostraremos cuatro de ellas.

1. **Demandar Atención** - A menudo demandan que dediquemos todo nuestro tiempo, así como nuestro cuerpo y alma, a sus proyectos y preocupaciones. La persona difícil quiere ser apapachada y atendida cada minuto posible de cada día. Alguien así le interrumpirá con preguntas tontas sólo para obtener su atención. Las mujeres visten ropas reveladoras en la oficina para obtener la atención de sus compañeros.

   - *Sólo me llamaste tres veces hoy. ¿Qué te pasa? ¿Estás enojado conmigo?*

- *¿No puedes pasar toda la tarde conmigo? ¿Ya no me quieres?*

2. ***Acosar y Denigrar*** - Algunas personas difíciles tratarán constantemente de hacerle sentir estúpido e insignificante. Por ejemplo, dirán:

- *¡Tú no sabes nada! Eres un estúpido...*

- *Nunca llegarás a ningún lado.*

- *No importa qué tan duro trates, nunca la harás.*

3. ***Adivinar el Pensamiento*** - O se puede denigrar a los demás al hablar por ellos, pretendiendo que se les lee el pensamiento.

- *Sé que realmente no te importa tu esposa...*

- *Podrías preocuparte más por tu trabajo, ¿no?*

- *Lo más importante en tu vida es saber quién gana la Serie Mundial.*

4. ***Jugar a las Adivinanzas*** - O tal vez forzando a los demás a adivinar qué se siente o se espera.

- *Quería salir contigo pero pensé que...*

- *No debería decirte esto, pero te estuve esperando más de dos horas.*

- *¿No se te ocurrió hacerme una simple llamada telefónica?*

- *Pensé que me invitarías a almorzar.*

Estas frases ilustran algunas de las estrategias que la gente difícil usa para ponernos a la defensiva y hacernos enojar. A menudo no utiliza estos "planes de juego" conscientemente, son simplemente parte de su personalidad. Cuando usted se encuentra con estas conductas, las personas difíciles están tratando de demostrarle su inteligencia superior o su autoridad incuestionable, en otro intento por compensar sus sentimientos sin fondo de inseguridad. Por supuesto, en el proceso, prueban nuestros niveles de paciencia, comprensión y auto-control.

Pero en ocasiones, no es sólo culpa de la persona difícil...

En este libro hemos supuesto generalmente que la persona difícil no es usted, sino alguien más en su vida y usted tiene qué trabajar para solucionar o pasar los problemas que ellos presentan. Pero, como hemos dicho, todos podemos ser personas difíciles en ocasiones, y eso es igualmente verdadero en la conversación como en todo lo demás. A menudo tomamos esos planes inconscientemente, por lo que es tiempo de echarle un rápido vistazo a las formas en las que alentamos a las personas que sean más difíciles en nuestras vidas.

Por alguna razón inexplicable, a menudo esperamos esos resultados negativos de cualquier conversación con una persona difícil con la que empecemos un diálogo señalando con el dedo y utilizando un tono de voz de enojo. Por supuesto esto no funciona: sólo obtendremos una respuesta igualmente negativa por parte de la persona difícil. *¡O peor!* Dependiendo del tipo, obtenemos oposición, enojo o resistencia:

Luisa: - *¡Esto no está bien! Siempre haces todo mal.*
Pedro: - *¿No te gusta? Pues hazlo tú misma.*

Luis : - *No sabes vestirte para una junta de trabajo.*
Juan : - *Bueno, tú tampoco y nadie puede decirte nada.*

Andy: - *Nunca estás lista a tiempo...*
Sara: - *¿Por qué no me avisaste antes? Si llegamos tarde es por tu culpa.*

Otros problemas se presentan cuando la voz de las personas está cargada de emociones fuertes que son inapropiadas para esa situación, o cuando una persona trata de hacer cosas por los demás sin preguntar. En dichos casos, nuestra conducta lleva a la otra persona a actuar dependientemente, indecisa o beligerante.

Por lo tanto el primer paso en cualquier conversación con una persona difícil es entender su potencial de conducirse difícilmente y asegurarse de que ésta no le empuje a un callejón sin salida, antes de que usted siquiera empiece a interactuar. *¡Y cerciórese de que usted tampoco le empujará a un callejón sin salida!* Tenga la certeza de empezar la conversación en una forma en la que no la antagonice o denigre.

El tercer paso en cualquier conversación con una persona difícil es pensar acerca de su propia conducta no verbal. Debido a que las personas difíciles están muy ocupadas buscando cualquier cosa negativa, cualquier desdén no intencionado o insulto, es muy importante monitorear todos los mensajes que su cuerpo seguramente puede estar enviando. Esto a veces es duro, pero también divertido. Para darle una guía en esta área, describiremos lo básico de la comunicación no verbal. Después, le mostraremos cómo estos principios le pueden ayudar a tener mejores conversaciones con las personas difíciles.

Comunicación No Verbal

El lenguaje verbal es crucial en cualquier mensaje que mandamos o recibimos, *es la base de toda comunicación interpersonal.* El lenguaje corporal se observa en muchos elementos físicos, desde un simple gesto o movimiento de las manos hasta las complejas expresiones faciales. La postura, la respiración, el ritmo del movimiento y el tono de voz: todo esto funciona conjuntamente para transmitir el mensaje del cual sacamos conclusiones. También nos ayuda a decodificar mensajes que de otra forma serían muy complicados.

La Mirada

Con una simple mirada podemos expresar un conjunto infinito de sentimientos y estimular un amplio rango de reacciones emocionales, tanto positivas como negativas. Frecuentemente oímos declaraciones como:

- *El tenía una mirada penetrante.*

- *Maruca tenía una sonrisa cálida.*

- *Sus ojos brillaban de alegría.*

Estas son interpretaciones verbales de mensajes visuales explícitos. Por otro lado, al evadir el contacto visual alzamos una barrera protectora. El movimiento ocular también tiene muchos significados: si levanta una ceja está mostrando duda, si alza dos demuestra sorpresa.

¿Cómo se aplica el contacto visual a la persona difícil? A menudo el mejor enfoque es mirar directamente a sus ojos de tal forma que usted

pueda crear un lazo común. Esta persona lo percibirá como escucha respetuoso, lo cual ayudará en la conversación.

Nuestras caras comunican tan efectivamente que a menudo no se necesita emplear palabras. Cuando apretamos o fruncimos los labios, estamos mostrando disgusto o enojo. Una sonrisa casi siempre es una señal de felicidad y bienestar. Una rígida, por otro lado, indica que algo está siendo escondido - odio, disgusto o enojo. Un gesto de éstos puede decirle que la otra persona es infeliz o desaprueba algo, cuando de hecho, sólo está confundida o concentrada. Cuando encuentre a alguien con estos gestos, verifique con otra persona y trate de nuevo.

Todos nuestros pensamientos y sentimientos son filtrados a través de nuestras expresiones faciales, las cuales añaden vida a nuestros mensajes, tanto los emitidos como los recibidos. Para tomar ventaja de ellos, tenemos que estar alerta de nuestras propias expresiones y vigilar las caras de la gente que está hablando con nosotros.

Movimientos de las Manos

La manos tienen un lenguaje propio, el cual puede facilitar o interferir con lo que decimos. Por ejemplo, si alguien apunta con el dedo a alguien más, indica atrevimiento o reto. De la misma manera, si alguien frota las manos, sabemos que está nervioso o bajo estrés. Golpear los dedos en la mesa será interpretado como una señal de disgusto o impaciencia.

Cuando queremos mostrar amor, afecto o aprecio a alguien, palmeamos su brazo u hombro.

Un fuerte apretón de manos equivale a hacer o aceptar un compromiso y también es una señal de auto confianza. A la vez, un apretón de manos breve o débil puede indicar desconfianza o debilidad.

Cuando estamos preocupados, a menudo cubrimos nuestra boca con las manos.

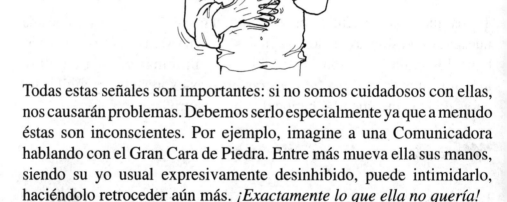

Todas estas señales son importantes: si no somos cuidadosos con ellas, nos causarán problemas. Debemos serlo especialmente ya que a menudo éstas son inconscientes. Por ejemplo, imagine a una Comunicadora hablando con el Gran Cara de Piedra. Entre más mueva ella sus manos, siendo su yo usual expresivamente desinhibido, puede intimidarlo, haciéndolo retroceder aún más. *¡Exactamente lo que ella no quería!*

Lo mismo sucede cuando alguien hace un comentario y reaccionamos cruzando nuestros brazos en el pecho en una posición defensiva. *¿Qué es lo que estamos mostrando intencionadamente?* Una persona difícil, por supuesto, puede golpear la mesa con el puño para mostrar su enojo.

Por lo tanto conviene estar alerta de nuestros propios movimientos de manos y brazos - y de los de otras personas - para recoger claves conscientes y comunicar los mensajes que realmente queremos hacer llegar.

Postura y Movimiento Corporal

La postura es otra forma completa de comunicación. Considere unas cuantas cosas más obvias que nuestra postura comunica: una derecha y erecta dice mucho sobre la seguridad personal y fortaleza, mientras que la persona que se encorva y agacha los hombros luce desanimada e insegura. Cuando nos sentamos rígidamente en la orilla de la silla, mostramos claramente nuestra inconformidad; si nos acomodamos relajados, proyectamos confianza. Finalmente, caminar muy rápido refleja inquietud y ansiedad. A menudo mostramos estas cosas inconscientemente, por lo tanto, la forma en que caminamos y nos conducimos es una parte importante de nuestra imagen personal total.

El movimiento y la postura pueden tener también significados interpersonales. Por ejemplo, cuando la gente siente que su espacio personal ha sido invadido, se hace un paso hacia atrás, sintiendo la presencia cercana de la otra persona como una amenaza. El tipo Don Juan juega con el espacio a su modo: siempre está buscando invadir el espacio de los demás para lograr intimar. ¡Este es un ejemplo de una persona difícil que está extremadamente alerta de lo que está haciendo!

La Voz

Otro elemento crucial en cualquier comunicación, pero especialmente con las personas difíciles, es nuestro tono y volumen de voz. Generalmente, existen tres tonos de voz. Un tono alto indica una actitud defensiva. Uno bajo puede entorpecer la comunicación, si no se está en la misma "onda" que la del interlocutor. Un tono moderado da los mejores resultados.

Por supuesto, el volumen de voz que usted usa en la conversación puede variar dadas las circunstancias.

Cuando se está hablando con una persona difícil, ayuda mucho el ponerse a su ritmo: *¿es rápido o lento? ¿Habla fuerte o suave? ¿En un tono alto o bajo? ¿Cómo su velocidad, volumen y tono se acoplan al de estas personas?* Poner atención a todos estos detalles hará su conversación más fácil.

En resumen, siempre que usted hable con alguien, difícil o no, su conversación se desarrollará en dos canales simultáneamente: el físico y el verbal. Para obtener la mejor conversación posible, usted se tiene que sintonizar en ambos.

Integrando los aspectos Verbales y No Verbales de la comunicación

¿Entonces qué significa todo esto para su conversación con la persona difícil?

Primero, ya que ella puede ser muy irritable, usted tiene que entrenarse a sí mismo para escuchar sin interrupción. Una manera de hacer esto es entonarse en las múltiples formas no verbales que pueden estar molestándole. Fíjese en lo que la persona está haciendo, pero recuerde que no va a dejar que le harte.

Segundo, ya que a la gente difícil le gusta hablar de cosas irrelevantes, déjele expresarse libremente. No sólo escuche. Mantenga un buen contacto visual, haciendo todo lo que pueda para mantener la conversación fluyendo de una manera positiva. Si existe alguna interferencia o malentendido en el mensaje, trate de encontrar por qué y luego regrese al camino.

Tercero, ponga atención. La mayor parte del tiempo, es de naturaleza humana oír sólo lo que queremos oír. Por tanto, usted tiene que poner mucha atención y estar preparado para cualquier tipo de mensaje, aun si no va con sus propios valores y puntos de vista personales. Para encontrar esta "onda" póngase a tono con la persona difícil, manteniendo un buen contacto visual. Muestre que usted aprueba algo de estas ideas y ayúdele a mantenerse en ellas. Háblele a su propio nivel. Le mostraremos más acerca de esto en la siguiente sección.

Finalmente, recuerde que el propósito de la comunicación no es únicamente intercambiar información; es también expresar emociones, las cuales pueden ser piezas cruciales de información. Algunas veces, especialmente en una situación tensionante, los disturbios emocionales bajarán sus niveles de energía. Luego es duro entender los mensajes que obtenemos, aunque éstos sean claros y directos. Cuando esto le suceda a usted, tiene que poner aún más atención a las claves verbales y no verbales que envía y recibe.

Cuando usted habla con una persona difícil, trate de estar despejado mentalmente y calmado. Primero, encuentre formas de contrarrestar sus técnicas sin salida, después asegúrese de no mandar ningún mensaje que pueda ser irritante de cualquier forma, y tercero, ponga atención a todas las claves no verbales que puede estar enviando, y luego vigile las que la otra persona le regresa. *¿Está él frunciendo la boca? ¿Golpeando los pies? ¿Mirando el techo? ¿Qué está usted haciendo a la misma vez?*

Ahora, vamos a construir estos principios y a pensar acerca de cómo comenzar una conversación con una persona difícil

Estrategias para convencer a la Gente Difícil

No podemos decir esto con frecuencia: en cada conversación con una persona difícil, ayuda el planear en avanzada qué es lo que usted dirá. Si lo piensa, se dará cuenta de que a menudo pensará cosas antes de decirlas en voz alta. Con una persona difícil, tiene que hacer esto conscientemente, *¡todo el tiempo!* Verifíquelo en su mente antes de expresarlo verbalmente.

Usted también tiene que pensar más allá de las posibles reacciones y preguntas de la persona difícil *¿Qué es de lo que se tiene que cuidar? ¿Qué es lo que podría decir o hacer una vez que entienda su mensaje?* Con mucha gente difícil, es necesario considerar otras estrategias de antemano, ya que le interrumpirá e interferirá con lo que usted intenta hacer.

Dése cuenta que desde el principio hasta el final de la conversación, la persona recibirá e interpretará sus mensajes así como usted quiere. Escuche y obsérvela una vez que estén juntos. Retenga sus emociones de tal forma que no le moleste y responda cuidadosamente.

Para ilustrar estos principios, usaremos una situación común en el lugar de trabajo, aplicándola una y otra vez a los varios tipos. Imagínese acercándose a una persona difícil para tratarle el asunto de un proyecto en el que tienen que trabajar juntos. El primero es el Gran Cara de Piedra:

- *Juan, necesitamos empezar este trabajo inmediatamente.*

El baja sus ojos, mira hacia otro lado y trata de safarse del encuentro. *¿Qué debe hacer usted?*

1. Establecer contacto visual, no importa lo que cueste.

2. Acercarse físicamente a él.

3. Repetir su declaración, concentrándose en mantener el contacto visual y la cercanía física.

Cuando usted se aproxime a un Don Juan, espére que algo como esto suceda:

- *Alberto, necesitamos trabajar en este proyecto.*

- *¡Oh, Susana! Hoy te ves adorable. He estado pensando si te gustaría almorzar en ese pequeño restaurante a la vuelta de la esquina.*

Con él, usted:

1. Educadamente pero con firmeza rechace su invitación.

2. Asegúrese de permanecer en una actitud que comunique autoridad en lugar de rastros de sexualidad, y por lo tanto, manténgalo a raya.

3. Repita su declaración acerca de la urgencia del proyecto.

Cuando su persona difícil es una Víbora, la respuesta a su declaración abierta sería:

- *¿Por qué Bob? No pensé que fuera la gran cosa.*

Ahora usted:

1. Mírela directo a los ojos. Párese firme; justamente el contraste entre la postura de la persona y la suya le hará sentir incómoda.

2. Repita su petición hasta que la persona la escuche.

3. Sea muy cauteloso de no reaccionar hacia ella evasivamente de la misma forma.

En estos ejemplos, vemos cómo los problemas se dan y cómo podemos manejarlos. Al planear un acercamiento adecuado hacia la persona y el problema, obtendremos lo que necesitamos sin una confrontación agresiva o la pérdida del auto control.

Aquí hay dos lecciones importantes. Primero, especificar los límites de todas y cada una de las situaciones y utilizar las palabras y lenguaje corporal apropiados. Segundo, recuerde qué tan importante es su proyecto. No deje que lo pongan en espera o se lo arruinen *¡sólo porque a la persona difícil se le ocurra!*

Más estrategias para convencer a las Personas Difíciles

A menudo es necesario tener conversaciones más complejas con las personas difíciles. Ayuda el abrirse adecuadamente, pero todavía hay más que el principio que hemos descrito. Para una conversación extensa, nos apoyamos en toda la información que le hemos dado hasta ahora. Creemos que en una conversación más larga, ayuda algunas veces ser indirectos al principio. Existen tres pasos: encontrar afinidades, verificar el estado emocional y luego expresarse a sí mismo.

Encontrar afinidades - Empiece por encontrar algo en común. Identifique lo que le gusta y lo que no de la cuestión que la persona difícil encuentra relevante. Usted pudiera empezar con temas neutrales como viajes, restaurantes, pasatiempos, películas o deportes. La idea es lograr que la persona difícil se mantenga pensando en los intereses comunes que comparten.

A través de este proceso, sea amigable y utilice su sentido del humor como un rompehielos.

Por ejemplo, suponga que está tratando de convencer a la Señora

Negatividad de cambiarse a otra ciudad para trabajar. Usted sabe que a pesar de todas sus actitudes negativas a ella le gusta viajar, y especialmente a lugares silvestres.

Empiece por charlar acerca de sus intereses comunes de viajes. Cuando ella responda con cualquier cosa que se pueda conectar con el nuevo lugar, úselo. Entonces podrá interesarla en el hermoso medio ambiente del lugar, o su conveniente ubicación comparada con la del sitio donde residen actualmente, u otras características atractivas como las instalaciones deportivas y la gente interesante.

Después mencione la gran cantidad de dinero que ella obtendría ya que esa ciudad es un mercado potencial para sus productos.

Póngase a tono con su estado emocional y continúe siendo abierto. Una vez que ella reaccione, muestre que usted entiende su punto de vista y su situación. Sus respuestas deben empezar desde esa comprensión. Por ejemplo, si se da cuenta que se está dando vueltas en su silla, usted puede asegurarle que es normal sentirse indeciso e inquieto cuando alguien le está pidiendo que se mude.

Ahora, veamos a otro tipo. Suponga que usted tiene que presentarle la misma idea al Tacaño. La mejor forma de manejar la parte emocional de la conversación con él es asegurarle que ya se ha puesto en sus zapatos. Dígale que es entendible preocuparse acerca del cambiarse ya que él tiene que ahorrar dinero para la universidad de los niños. Hable sobre todos los problemas que él mencione, por el tiempo que sea necesario, estando de acuerdo en un nivel emocional.

Pero una vez que tenga respuesta, restablezca el propósito de la conversación. Por ejemplo, usted puede enfatizar que algunas veces tenemos que considerar nuevas oportunidades: ¿no quiere él hacer más dinero?

Explicar - Ahora explique qué tan importante es el que acepte su propuesta, ya que muchas oportunidades se apoyan en este plan. Por decir algo: él tiene una buena posibilidad de ascenso.

En este punto usted puede darse cuenta que él no estará dispuesto a comprometerse en su plan así como pensó que lo haría. Entonces usted tendrá que explicarle otra vez lo mucho que necesita de su cooperación y participación; menciónele que usted debe tener aprobado su plan por el comité directivo. Si él aceptara su propuesta podría obtener el ascenso que ha estado esperando por largo tiempo, y por lo tanto, un mayor salario.

En este punto, si el dinero no le motiva, piense en algo más que le funcionaría. Pero dado que él se interesa en el dinero, probablemente usted le haya suavizado lo suficiente con el resto del proceso y tomará la oportunidad.

Tratando con la Negatividad

Lo más importante al manejar la negatividad de una persona difícil es comprenderle lo suficientemente bien para no dejar que su negatividad le afecte. No deje que la persona difícil le saque del camino al hacerle sentir tanto pesimista como confundido; sentimientos que son las dos formas principales en las que la gente difícil nos manipula. Por más duro que sea, usted tiene qué tratar de entenderle. Cada persona difícil tiene el derecho de ser como es y no como usted quisiera que fuera.

Sin importar lo bien que esté usted preparado al inicio, siempre hay momentos en los que la conversación es improductiva debido a que ambos insisten en que están bien y ninguno se conformará por menos de la victoria total. Esto puede convertirse fácilmente en un círculo vicioso. Después usted se involucra en una pelea genuina por el poder, el tipo de relación humana clásica que ha motivado guerras e inspirado algunas de las mejores tragedias de Shakespeare.

Si usted se encuentra en esta clase de intercambio con una persona difícil, seguramente tendrá que aceptar la responsabilidad de neutralizar la situación. Si todo se vuelve muy complejo y emocional, trate de huir de ello por un rato. Con el tiempo, podrá verlo objetivamente para obtener un panorama claro de lo que en verdad está sucediendo. Después, puede empezar de nuevo, utilizando los principios de este capítulo: sea claro acerca de lo que usted quiere, esté preparado para que la persona sea difícil y tenga sus respuestas listas. Luego, sintonícese a la persona emocionalmente y presente su caso de nuevo.

Ejercicios para usar su Imaginación

Los tres ejercicios que siguen, le ayudarán en las situaciones antes descritas. Todos están diseñados para ayudarle a sentirse más alerta y por lo tanto, más poderoso en sus interacciones con una persona difícil.

Visualizando la Conversación

Hemos encontrado que la visualización es muy importante para manejar gente difícil. La técnica es tan simple como efectiva. Cuando usted esté solo, visualice las situaciones problemáticas, intentando varias soluciones hasta que usted vea esos conflictos resueltos de una forma pacífica y positiva. Luego, cuando se le presente la situación otra vez, estará listo para manejarla, habiéndola pensado con anterioridad. A continuación le mostramos la técnica.

Primero, siéntese calmadamente en un lugar donde se pueda relajar. Sólo siéntese por unos cuantos minutos y suavemente saque de su mente sus otras preocupaciones diarias. Ahora, imagine a la persona con la que tiene qué hablar. Véala claramente en el ojo de su mente. Recuerde una conversación que tuvo o mentalmente arme una que espera tener. Pregúntese a sí mismo:

¿Cómo se ve? ¿Cómo reacciona conmigo? ¿Qué clase de expresión tiene en la cara? ¿Qué me dice su postura? ¿Son sus gestos relajados o rígidos? ¿Me está mirando? ¿Cómo respira?

Ahora, reflexione:

¿Cómo estoy respirando yo? ¿Cómo me veo a mí mismo? ¿Cómo reacciono ante la otra persona? ¿Qué emociones siento? ¿Qué me están diciendo mi postura y gestos?

A continuación. mentalmente responda a estas preguntas:

¿Existen significados ocultos detrás de cualesquiera de sus palabras?

¿Qué me está diciendo? ¿Está siendo agresivo? ¿Está serio?

Ahora pregúntese a sí mismo:

¿Qué le estoy diciendo? ¿Me está entendiendo? ¿Cómo puedo mejorar esta conversación?

Dése unos minutos para pensar lo que usted ha descubierto. Escríbalo inmediatamente pero manténgalo disponible en la mente. En el futuro, usted podría encontrarse en una situación similar. Tendrá acceso fácil a esta información y será capaz de usarla otra vez para tratar con esta persona.

Ejercicio de Observación

Una segunda forma de usar la visualización es enfocarse en su conducta con una persona difícil y usar esta observación para cambiar la forma en la que actúa hacia ella - o con otra persona en su vida. Trate de hacer esto lo más pronto posible antes de su interacción.

Siéntese tranquilamente en un lugar donde se pueda relajar y nadie pudiera interrumpirle, por algunos minutos. Recuerde hasta la última interacción que tuvo con la persona difícil. Piense acerca de cada cosa que usted dijo e hizo entonces. Ahora escriba lo que observó:

¿Qué es lo que sentí al recordar la interacción? ¿Cuáles son mis emociones primarias?

¿Reaccioné de manera diferente en las distintas etapas de la conversación? ¿Cuáles fueron mis variadas reacciones?

¿Me sentí agresivo hacia esta persona? Si así fue, ¿por qué? Cuando me sentí agresivo ¿qué hice?

¿Sentí que la otra persona se me estaba imponiendo? Si fue así ¿por qué? Cuando sentí que se me imponía ¿qué hice?

¿Me sentí deprimido o desesperanzado por esta persona? Si así fue, ¿por qué? Cuando me sentí desesperanzado ¿qué hice?

Continúe pensando acerca de cada una de las reacciones emocionales que ha tenido hacia esa persona y a esos sentimientos. Luego pregúntese a sí mismo:

¿Qué me haría sentir más tranquilo con esta persona? ¿Por qué?

¿Qué me haría sentir más en control? ¿Por qué?

¿Qué me haría sentir más esperanzado? ¿Por qué?

Continúe pensando acerca de cómo sería capaz de cambiar las reacciones emocionales que tiene cuando trata con esta persona. Grábeselas, porque bien que tendrá que tratar con los mismos sentimientos de nueva cuenta. Cada vez que se enfrente con ella, se encontrará comportándose de manera más graciosa, más controlada y más optimista.

Una segunda parte de este proceso es observar qué otra gente parece pensar sobre usted. Para hacer esto, use el mismo cuaderno y escriba lo que los demás piensan de usted y lo que usted ve en sí mismo. Verifique con las expresiones que la gente tiene de usted, especialmente aquellas que le conciernen directamente. Después, podrá imaginar cómo su personalidad le afecta a otros.

Una cosa que hay que recordar mientras usted está haciendo esto, es poner atención a lo que le han dicho sin distraerse para que las palabras cargadas emocionalmente no le afecten. Puede ser duro, pero inténtelo. Si usted reflexiona en lo que encuentre, descubrirá cómo usted mismo puede ser menos difícil.

Un Ejercicio de Libertad

Aquí está un tercer ejercicio que le debe ayudar a conocerse a sí mismo mejor y a entender lo que quiere mientras trata con una persona difícil. Antes de que comience, regrese a la lista de libertades de la siguiente página.

Cuando esté listo, cierre sus ojos y relájese. Recuéstese lo más confortablemente posible. Tome unos cuantos respiros profundos. Deje salir toda la tensión de su cuerpo y sólo relájese. A continuación, deje volar su imaginación.

¿Qué merezco en la vida?
¿Qué derechos tengo?
¿Cuáles de ellos tengo ahora?
¿Cuáles de ellos no tengo?

Piense en las áreas de su vida en las que no está obteniendo todo lo que debería. *¿Cuáles de sus derechos quiere defender?*

Tome unos minutos y piense:

¿Cómo voy a reforzar mis derechos?

Visualícese teniendo estas nuevas libertades.

¿Qué se siente?

Mantenga esta imagen poderosa en su mente por algunos minutos. Quédese en este sentimiento de bienestar, de tal manera que pueda recordarlo siempre que sus derechos se vean amenazados. Si lo toma en cuenta, verá que ayuda a levantarse de la amenaza.

Ahora, una vez más, respire profundamente varias ocasiones y muy despacio abra sus ojos.

Lentamente siéntese y siga con su vida diaria. Pero traiga consigo la nueva realidad que ha visualizado para usted.

En Síntesis

Creemos que estas técnicas, una vez que las domine, le darán mayor confianza al tratar con las personas difíciles en su vida. Usted también tendrá una reserva de respuestas listas para usarlas cuando las necesite. Una vez que convierta sus conversaciones imaginadas en reales y utilice otras técnicas cuando las requiera, ***usted empezará a mover sus relaciones en otra dirección.***

Usted puede cambiar una relación difícil si trabaja en ello consistentemente. Dependiendo de cuánto quiere que funcionen las cosas, puede desarrollar una actitud más optimista.

Recuerde que para tratar con una persona difícil, usted no tiene que estar de acuerdo con sus ideas o filosofía. Simplemente déjele ser. Permita que se exprese, sabiendo que tiene que hacerlo, de tal forma que usted gradualmente cambie su actitud.

La única manera de sobrepasar la conducta por tanto tiempo sostenida es gradualmente. La persona difícil estará dispuesta a cambiar su relación con usted si - y sólo si usted - toma los primeros pasos y le muestra los beneficios de mejorar.

Usted sabe que no puede esperar que el cambio venga de la otra persona; si desea una mejor relación, usted tiene que comprometerse para hacerlo posible.

Para terminar este libro, queremos recordarle acerca de los derechos que todos tenemos. Si una persona difícil se pone en medio de uno ellos, *ahora* usted tiene las herramientas para cambiar eso. *¡Le animamos a que luche por la libertad que le pertenece desde el nacimiento!*

Derechos Básicos

Como seres humanos, poseemos ciertos derechos inherentes. Estos incluyen el derecho de:

1. Ser respetados, como la base de todas las relaciones.

2. Expresar nuestros sentimientos y no ser juzgados o rechazados por hacerlo.

3. Pedir lo que necesitamos, de tal forma que nadie tenga que adivinar.

4. Tomar nuestras propias decisiones. Nadie más sabe qué es lo que realmente necesitamos.

5. Elegir cuando cambiar, basados en nuestras propias circunstancias.

6. Utilizar nuestros propios estándares a medida que nos adaptamos a la situación a nuestro alrededor.

7. A no ser perfectos.

CAPITULO 9

El perdón
como extensión de vida

El Perdón Como Extensión de Vida

En la vida, debemos aprender a resolver los problemas que irán creciendo a medida que nosotros lo hacemos también.

Desde el kinder en nuestro camino a la socialización, aprendizaje y resolución de conductas adecuadas hasta el último de nuestros días, es un contínuo devenir.

En las relaciones conflictivas, muchas veces nos encontramos con una muralla que no podemos traspasar; por lo tanto es imposible la intimidad.

Así vamos acumulando coraje, nos llenamos de resentimientos, de miedos, frustraciones y dolor.

Como un "ácido" que nos carcome, nos corroe por dentro, una atadura emocional del pasado que vamos arrastrando; un lastre que se va haciendo cada vez más pesado.

Y ese bote lleno de "ácido", que la persona va acumulando y que derrama con todo aquel que se le acerca, con toda persona que se vincula o que vive con ella, va derramando y esparciendo ese "veneno" y rociándolo por todo lugar.

Al no perdonar, va contaminando con ese gas "venenoso" y hace que los otros a su vez desarrollen su propio "veneno" o "ácido" también por eso vemos familias enteras que son portadoras de este tóxico y que se va pasando de generación en generación como una predisposición casi "genética" enseña a los nuestros a "no perdonar", a acumular otra vez resentimientos, frustración, coraje y dolor Como una paradoja más de la conducta humana:

"Lo que más odiamos es lo que más imitamos"

Y no perdonamos por que pensamos que perdonar significa:

-Olvidar lo que pasó, o lo que nos hicieron.
Sin embargo puedes perdonar, sin olvidar, pero recordarlo sin la emoción negativa. Solo evocarlo.

-No quiere decir que debas confiar otra vez en lo mismo.
Pero puedes perdonar, sin caer en los mismos errores.

-Puedes perdonar a la persona aunque esta no este físicamente, puede ser alguien en nuestro pasado, en nuestra niñez, puede inclusive ejercer se el perdón con una persona fallecida.

- El perdón lo hacemos desde nuestra interioridad, es un ejercicio de sanación espiritual y física a su vez.

Ya que acumular tanto coraje, nos enferma físicamente, espiritual y emocionalmente.

Generamos lo que menos queremos en la vida y por ende no podemos disfrutar de ella.

Creamos distanciamiento, desconfianza y miedo, no permitimos el acercamiento emocional, no permitimos que nos quieran, alejamos a todos los que quieren de una u otra manera relacionarse con nosotros.

Quisiéramos que el mundo entero nos pagara por nuestro sufrimiento, por nuestro dolor y cuando el coraje crece y crece, como una ola que nos invade, causa desmotivación, por la vida, por los seres o personas, por las cosas... por todo. Espiritualmente estamos vacíos, no podemos sentir la espiritualidad y en grado extremo ni a DIOS le permitimos entrar, por lo que el coraje nos ciega y amuralla nuestro corazón.

Y como toda muralla o armadura, nos impide movernos, hay poca luz, poco espacio, en una palabra... *Poca vida.*

La depresión, la desmotivación, la enfermedad... *todo, todo* esta conectado al coraje, al resentimiento, las cárceles dan cuenta de ello, tanto como la violencia en que vivimos.

Porque cuando tienes coraje no respondes a las cosas positivas, tiendes a neutralizarlas, tiendes siempre a hacer de lo que te pasa algo negativo. Todo el coraje no resuelto, reduce nuestro valer o nuestra autoestima y cuando nuestra autoestima esta baja es como una mina, o una bomba escondida, no sabemos cuando va a estallar.

El coraje es un monstruo que vive y se alimenta de nosotros, la paradoja es que sabemos, que *nosotros* tenemos el poder: podemos matarlo o alimentarlo para que siga creciendo y nuevamente la paradoja es que entre más lo alimentamos, más crece y más nosotros morimos, por lo que nos va carcomiendo por dentro, nos va aniquilando como un veneno hasta destruirnos.

Cuántas veces la depresión es un coraje enterrado, si enterrado, pero... *Enterrado vivo.*

Como sí nos pasáramos una película "de terror" y cada vez que la pasamos nuestro corazón sufriera un infarto, por que permitimos "al enmascarado que mata" resucitar una y otra vez en nuestra mente.

Lo que pasamos como una película una y otra vez, nos controla y nosotros nos quedamos congelados, paralizados de terror y ya no crecemos, emocionalmente estamos solidificados, estáticos en tiempo y espacio.

Y como esta película la pasamos dentro de nuestra cabeza continuamos repitiéndola hasta que un día con tanta fuerza irrumpe, que nos arrastra con ella.

Por nosotros. por nuestros seres amados, por nuestra sociedad, nuestro país y por el mundo. Aprender a perdonar, es aprender a vivir:

¡Perdonémos para poder vivir!

Contenido

Capítulo 4

Capítulo 5

Capítulo 6

Capítulo 7

Disfrute otros BestSellers de los Drs. Rohana
¡Que lo llevan a donde Usted quiere llegar!

Perdón... no fue mi intención

Recomendado por los mejores colegios y universidades del país. Lo que todo padre necesita decir a sus hijos y lo que todo joven necesita saber y no se atreve a preguntar.

"Me había jactado de haber leido los mejores libros relacionados con los adolescentes. Hablaba de ellos y los recomendaba a todos, pero cuando leí con avidez la historia de PERDON... me dije: Ninguno como este... Estoy seguro que Usted estará de acuerdo conmigo".

Robert Kallen
"Achievement Group"
Master Firewalker Director
Miami Beach, Florida

*"¿Qué tipo de pareja tenemos? ¿Qué tipo de padres somos? ¿Qué tipo de hijos tenemos en consecuencia? El divorcio, la madre soltera, los padres que trabajan, todo esto y más... Todo lo que nos toca vivir en una sociedad donde los cambios son un desafío constante. El libro de los Dres. Rohana **"Nadie da lo que no tiene"**, es el libro de nuestro tiempo y para todos los tiempos".*

Dra. Ana Guiller
Presidente de la Sociedad
Argentina de Terapia Familiar
Directora del Hospital Alvear
Buenos Aires, Argentina

Nadie da lo que no tiene

Mujeres de Hierro y de Cristal

"¡Al fin! Una explicación científica, profunda y accesible para develar los por qué y encontrar las soluciones de cómo enfrentar los miedos, cómo elegir a la pareja adecuada, cómo salir de las crisis, cómo prepararse para el éxito y otros dilemas no menos importantes en nuestras vidas".

Psicóloga Ma. Teresa Neme
Formadora didáctica del
Gremio Docente Magisterial
Buenos Aires, Argentina

Para mayores informes:

Sobre los seminarios, conferencias, material
didáctico de transformación y cambio o la
distribución de los libros de los Dres.
Rohana, Diríjase a:

Multigrafica Hercon S.A. de C.V.
(01) 5578-1572 y (01) 55780780
E-mail: asrohana@prodigy.net.mx

Recuerde
entre más sepa sobre las personas difíciles,
más fácil será lidiar con ellas.